LIVRE DE CUISINE

LIVRE DE CUISINE

Mise au point des recettes dans les cuisines de KRAFT.

Sur la page couverture: Gâteau au fromage "Philly" (Voir la page 187)

Sur la couverture arrière, à gauche (de haut en bas):
Tartelettes aux pacanes (Voir la page 110)
Fudge "Philly" au chocolat (Voir la page 110)
Biscuits à l'abricot "Philly" (Voir la page 108)

Sur la couverture arrière, bas: Hors-d'œuvre au fromage au four (Voir la page 39)

ISBN: 0 88176-989-4

Cette édition est publiée par:
Publications International, Ltd.
7373 North Cicero Avenue
Lincolnwood, Illinois, U.S.A. 60646

Traduction: D. Kaiser/R. Mancuso

Imprimé et relié au U.S.A.
h g f e d c b a

TABLE DES MATIÈRES

ORIGINAIRE
_____D'AMÉRIQUE

Le fromage à la crème fut fabriqué pour la première fois il y a cent ans et lancé sur le marché, dans l'état de New York, par un fermier ambitieux et industrieux. On le servit d'abord en délicieuse tartinade sur du pain, des biscottes ou des craquelins. Des conserves de fruits frais furent ensuite ajoutées au nouveau fromage lui donnant une nouvelle saveur et créant ainsi une variété presque infinie de sandwiches et de casse-croûte.

Ce fromage au goût délicat, frais, doux et crémeux n'a été utilisé comme ingrédient de recettes qu'au milieu des années 20. Une des premières recettes connue fut celle du gâteau au fromage KRAFT PHILADELPHIA qu'on rebaptisa plus tard "Le suprême au fromage." Bien que des versions de cette recette originale apparaissent dans ce livre, celle-ci fut publiée pour la première fois en 1928 dans un feuillet de recettes de KRAFT et est devenue la favorite du moment.

Vers la fin des années 40 et au début des années 50, l'Amérique a découvert les réceptions et les divertissements à la maison. Ce nouveau style de vie a favorisé l'apparition de nouveaux hors-d'œuvres, de sandwiches miniatures et de trempettes au fromage. Ces nouveautés alimentaires ont eu une telle popularité que lorsque la "Trempette aux palourdes" fut présentée à l'émission de télévision "le Music Hall de Kraft," en 24 heures, la ville de New York n'avait plus de boîtes de palourdes sur le marché.

Il a coulé bien de l'eau sous les ponts depuis le premier gâteau à la crème PHILADELPHIA de KRAFT. Ce simple gâteau au fromage a pris de la maturité et s'est amélioré pour devenir plus prestigieux que jamais tandis que nous l'avons marbré de chocolat, rehaussé de meringue, garni de kiwis, parfumé de mille saveurs, du beurre d'arachide aux liqueurs fines.

Aujourd'hui, nous fabriquons un fromage à la crème avec 25% moins de gras et contenant 20% moins de calories. On l'appelle le Fromage à la Crème Léger de MARQUE PHILADELPHIA. Son goût et sa texture sont similaires au fromage à la crème régulier et il peut le remplacer dans vos recettes favorites contenant du fromage à la crème.

Cette nouvelle façon de cuisiner avec du fromage à la crème est maintenant acceptée universellement. Aujourd'hui, le Fromage à la Crème de MARQUE PHILADELPHIA est un ingrédient indispensable utilisé par tous bons cuisiniers comme vous.

LE MEILLEUR
EN AMÉRIQUE

Tartiné sur de pain grillé, des craquelines ou des bagels, telle est la présentation la plus populaire de ce produit bien aimé. Aujourd'hui, c'est encore plus facile avec le Fromage à la Crème de MARQUE PHILADELPHIA Tartinable.

Le fromage à la crème tartinable "Philly" est fabriqué avec les mêmes ingrédients que le fromage à la crème traditionnel. Son goût frais et délicat est identique, mais sa consistance est bien différente. C'est ce qui rend le "Philly" si facile à tartiner, même quand il vient d'être retiré du réfrigérateur.

Bien que conçu et le plus souvent utilisé pour les tartines, le fromage à la crème tartinable "Philly" convient à une multitude de recettes. Vous l'aimerez particulièrement pour les recettes de mélanges faits d'ingrédients froids tels que la confection de trempettes, tartinades, glaçages, sauces froides ou garnitures. Dans les recettes qui requièrent du fromage à la crème ordinaire, on ne doit pas le remplacer par du fromage tartinable. Il pourrait en résulter une consistance plus molle.

Le fromage à la crème tartinable "Philly" est toujours prêt: c'est la solution rapide et facile, qu'il s'agisse de satisfaire un jeune affamé au retour de l'école ou de préparer rapidement d'attrayants et appétissants hors-d'œuvres pour de la visite imprévue.

Vous trouverez dans ce livre de nombreuses recettes créées spécialement pour le Fromage à la Crème de MARQUE PHILADELPHIA Tartinable. Beaucoup se préparent sans le moindre effort et d'autres plus élaborées sont idéales pour des réceptions et d'élégantes fêtes très spéciales.

D'IRRÉSISTIBLES
HORS-D'ŒUVRES

TARTINADE À TROIS ÉTAGES

1 paquet de 8 onces (250 g) de Fromage à la Crème
    Léger de MARQUE PHILADELPHIA, ramolli

2 tasses (500 ml) de Fromage Cheddar Doux
    100% Naturel KRAFT, râpé

1/3 de tasse (75 ml) de lait

2 cuillérées à table (25 ml) de poivron vert
    finement haché

2 cuillérées à table (25 ml) de carottes râpées

1 cuillérée à thé (5 ml) d'oignon râpé

*   *   *

2 tranches de bacon croustillant, émiettées

1 1/2 cuillérée à thé (7 ml) de sauce au raifort
    (optionnel)

*   *   *

1/4 de cuillérée à thé (1 ml) de fenouil

1/8 de cuillérée à thé (0,5 ml) de poudre d'ail

1/8 de cuillérée à thé (0,5 ml) de poivre

Bien mélanger le fromage léger, le fromage cheddar et le lait au fouet électrique à vitesse moyenne. Diviser le mélange en trois portions de 2/3 de tasse (150 ml). Dans l'une des portions incorporer les poivrons verts, les carottes et les oignons; bien mélanger.

Dans la deuxième portion, incorporer le bacon et le raifort; bien mélanger.

Dans la troisième portion, ajouter les assaisonnements; bien mélanger.

Disposer les tartinades sur une assiette de service. Servir avec des craquelins.

2 tasses (500 ml)

TARTINADE À L'AIL

1 paquet de 8 onces (250 g) de Fromage à la Crème
    de MARQUE PHILADELPHIA, ramolli

1/2 tasse (125 ml) de Margarine PARKAY, ramollie

2 cuillérées à table (25 ml) de persil haché

2 cuillérées à table (25 ml) d'oignon haché

1 gousse d'ail émincée

Bien mélanger le fromage à la crème et la margarine. Ajouter les ingrédients restants; bien mélanger. Réfrigérer.

Environ 1⅔ tasse (400 ml)

HORS-D'ŒUVRES FACILES

1 paquet de 15 onces (425 g) de Croûtes de Tarte
     Toutes Prêtes PILLSBURY

1 paquet de 8 onces (250 g) de Fromage à la Crème
     de MARQUE PHILADELPHIA, ramolli

1 cuillérée à table (15 ml) de lait

1/2 cuillérée à thé (2 ml) de sel d'oignon

1/2 cuillérée à thé (2 ml) de sauce worcestershire

Tranches de concombre

Ciboulette finement hachée

Fenouil

Oignon vert tranché

Tranches de radis

Carottes ciselées en lamelles

Tranches de piment rouge mariné

Persil

Petites crevettes nettoyées

Dérouler la pâte à tarte; couper en formes de 2 1/2 pouces (6 cm).
Placer les formes découpées sur une plaque à biscuits non graissée;
piquer chaque forme avec une fourchette plusieurs fois. Cuire à
425°F/220°C, 8 à 10 minutes, jusqu'à ce que la pâte soit dorée.
Laisser refroidir. Bien mélanger le fromage à la crème, le lait, le sel
d'oignon et la sauce worcestershire. Étendre sur les formes; garnir
avec les ingrédients tel que désiré.

2 douzaines

13

TREMPETTE À LA COURGETTE ET À LA CIBOULETTE

1 paquet de 8 onces (250 g) de Fromage à la Crème de MARQUE PHILADELPHIA Tartinable
3 cuillérées à table (50 ml) de lait
1 petite courgette râpée
3 cuillérées à table de ciboulette hachée
1/8 de cuillérée à thé (0,5 ml) de sel

Bien mélanger le fromage à la crème et le lait. Ajouter les ingrédients restants; bien mélanger. Réfrigérer. Servir avec des crudités ou des croustilles.

1 tasse (250 ml)

HORS-D'ŒUVRES À L'IMPROMPTU

1/4 de tasse (50 ml) de Sauce Cocktail SAUCEWORKS
1 paquet de 8 onces (250 g) de Fromage à la Crème de MARQUE PHILADELPHIA
Crevettes miniatures congelées, décongelées

Verser la sauce cocktail sur le fromage à la crème; garnir de crevettes. Servir avec des craquelins ou des tranches de pain de seigle.

VARIANTES
Remplacer la sauce cocktail et les crevettes par ce qui suit:
■ 1/4 de tasse (50 ml) de sauce au raifort mélangée à 1 cuillérée à thé (5 ml) de moutarde préparée pure et du jambon finement haché.
■ 2 1/4 onces (70 g) de jambon haché et de relish sucrée.
■ Du bacon croustillant et des tranches d'oignon vert frais.
■ 1/3 de tasse (75 ml) de Conserves d'Ananas KRAFT mélangée avec 1/2 cuillérée à thé (2 ml) de moutarde pure préparée.
■ 1/4 à 1/3 de tasse (50 à 75 ml) de sauce aux fruits.
■ 1/4 de tasse (50 ml) de sauce piquante, sauce à tacos ou salsa.

CONSEIL
Avoir toujours ces ingrédients sous la main pour des buffets surprises ou des visiteurs inattendus.

Haut: Hors-d'œuvres de pâté au fromage (voir la page 16)
Milieu: Trempette à la courgette et à la ciboulette
◀ *Bas: Hors-d'œuvres à l'impromptu*

HORS-D'ŒUVRES DE PÂTÉ AU FROMAGE

1 tasse (250 ml) de croûtons nature écrasés
3 cuillérées à table (50 ml) de Margarine PARKAY, fondue

* * *

1 sachet de gélatine sans saveur
1/2 tasse (125 ml) d'eau froide
2 paquets de 8 onces (250 g) de Fromage à la Crème de MARQUE PHILADELPHIA, ramolli
1 paquet de 8 onces (250 g) de saucisse braunschweiger ou saucisse de foie
1/4 de tasse (50 ml) de Vraie Mayonnaise KRAFT
3 cuillérées à table (50 ml) de piments hachés
2 cuillérées à table (25 ml) d'oignon râpé
1 cuillérée à table (15 ml) de moutarde préparée
1/2 cuillérée à thé (2 ml) de jus de citron

Mélanger les croûtons et la margarine; foncer un moule à bord amovible de 9 pouces (22 cm). Cuire à 350°F/180°C, 10 minutes.

Dissoudre la gélatine dans l'eau à feu doux. Bien mélanger le fromage à la crème et la saucisse au fouet électrique à vitesse moyenne. Ajouter peu à peu la gélatine. Ajouter les ingrédients restants, bien mélanger; étendre sur l'abaisse. Réfrigérer jusqu'à consistance ferme. Démouler.

16 portions

TARTINADE RAPIDE MEXICAINE

1 paquet de 8 onces (250 g) de Fromage à la Crème Léger de MARQUE PHILADELPHIA, ramolli
4 onces (125 g) de piments verts chili coupés et égouttés

Bien mélanger le fromage léger et les piments. Réfrigérer. Servir avec des croustilles au maïs ou tartiner sur des tortillas chaudes ou du pain de maïs.

1 tasse (250 ml)

Petits roulés "Philly"

PETITS ROULÉS "PHILLY"

> 1 boîte de 8 onces (235 g) de Croissants Rapides Réfrigérés PILLSBURY
>
> Fromage à la Crème de MARQUE PHILADELPHIA Tartinable
>
> ½ tasse (125 ml) de jambon finement haché
>
> 2 cuillérées à table (25 ml) d'olives vertes farcies, finement hachées

Séparer la pâte en 4 rectangles; presser fermement sur les perforations pour sceller. Tartiner de fromage à la crème; saupoudrer de jambon et d'olives en pressant légèrement. Rouler en commençant par le bout le plus court; sceller les bords. Couper chaque rouleau en quatre tranches. Placer sur une plaque à biscuits non graissée, côté coupé au-dessous; aplanir légèrement. Cuire à 375°F/190°C, 15 à 17 minutes, ou jusqu'à doré.

16 hors-d'œuvres

VARIANTE
■ Remplacer le jambon et les olives par des abricots secs et du poivron vert.

TARTINADE FRUITÉE AU FROMAGE

1 paquet de 8 onces (250 g) de Fromage à la Crème
   Léger de MARQUE PHILADELPHIA, ramolli
8 onces (250 g) de fromage muenster ou brick, râpé
1/4 de tasse (50 ml) de lait
1/2 tasse (125 ml) d'abricots secs, finement hachés
1/4 de tasse (50 ml) de poivron vert, finement haché
1/4 de cuillérée à thé (1 ml) de gingembre moulu

Bien mélanger le fromage léger, le muenster et le lait. Ajouter les abricots, le poivron vert et le gingembre; bien mélanger. Réfrigérer. Servir sur mini-tranches de pain de seigle ou de pumpernickel.

Environ 2 1/2 tasses (625 ml)

VARIANTES

■ Remplacer les abricots par 1/4 de tasse (50 ml) de poivron rouge finement haché et 1 cuillérée à table (15 ml) d'oignon finement haché. Supprimer le gingembre.

■ Remplacer le fromage muenster par du Cheddar Doux 100% Naturel KRAFT. Supprimer les abricots et le gingembre. Ajouter 8 1/4 onces (260 g) d'ananas broyés, bien égouttés; mélanger. Déposer à la cuillère dans un bol de service; réfrigérer.

■ Remplacer le fromage léger par du Fromage à la Crème de MARQUE PHILADELPHIA.

TREMPETTE RAFRAÎCHISSANTE AU CONCOMBRE

1 paquet de 8 onces (250 g) de Fromage à la Crème
   de MARQUE PHILADELPHIA, ramolli
1/2 tasse (125 ml) de crème sure
1 cuillérée à table (15 ml) de lait
1 cuillérée à thé (5 ml) d'oignon râpé
1/4 de cuillérée à thé (1 ml) de sauce worcestershire
1/3 de tasse (75 ml) de concombre finement haché

Bien mélanger tous les ingrédients sauf le concombre. Incorporer le concombre. Réfrigérer plusieurs heures ou toute une nuit. Servir avec des croustilles ou des crudités.

1 2/3 tasse (400 ml)

Tartinade fruitée au fromage ▶

Gâteau au fromage aux fines herbes

GÂTEAU AU FROMAGE AUX FINES HERBES

1 tasse (250 ml) de chapelure de pain
¼ de tasse (50 ml) de Margarine PARKAY, fondue

* * *

¼ de tasse (50 ml) d'huile d'olive
2 tasses (500 ml) de feuilles de basilic frais
½ cuillérée à thé (2 ml) de sel
1 gousse d'ail coupée en deux
2 paquets de 8 onces (250 g) de Fromage à la Crème de MARQUE PHILADELPHIA, ramolli
1 tasse (250 ml) de fromage ricotta
3 œufs
¼ de tasse (50 ml) de Fromage Parmesan Râpé KRAFT
½ tasse (125 ml) de noix de pin

Mélanger la chapelure de pain et la margarine; foncer un moule à bord amovible de 9 pouces (22 cm). Cuire à 350°F/180°C, 10 minutes.

Placer l'huile, le basilic, le sel et l'ail dans le bol du mélangeur. Couvrir. Mélanger à haute vitesse jusqu'à consistance lisse. Ajouter les fromages à la crème et ricotta au mélange de basilic, bien mélanger à vitesse moyenne. Ajouter les œufs, un à un, bien mélanger après chaque ajout. Ajouter le parmesan, verser sur l'abaisse. Garnir de noix de pin. Cuire à 325°F/160°C, 1 heure et 15 minutes. Passer un couteau autour du moule. Laisser refroidir avant de démouler. Servir chaud ou à la température de la pièce. Garnir de tomates façonnées en roses et de basilic frais (si désiré). Réfrigérer le fromage à la crème s'il en reste.

16 portions

VARIANTE
■ Remplacer les feuilles de basilic par 1 tasse (250 ml) de persil haché et 1 cuillérée à table (15 ml) de basilic sec.

TARTINADE POMMES-FROMAGE

¹/4 de tasse (50 ml) de lait
1 paquet de 8 onces (250g) de Fromage à la Crème Léger de MARQUE PHILADELPHIA, ramolli
1 tasse (250 ml) de Fromage Cheddar Doux 100% Naturel Râpé KRAFT
¹/4 de tasse (50 ml) de pommes finement hachées
¹/4 de tasse (50 ml) de noix finement hachées
1 cuillérée à table (15 ml) de sucre
¹/4 de cuillérée à thé (1 ml) de cannelle

Ajouter peu à peu le lait au fromage léger. Bien mélanger. Ajouter les ingrédients restants; bien mélanger au fouet électrique à vitesse moyenne. Réfrigérer. Servir avec des craquelins.

2 tasses (500 ml)

TREMPETTE COLORÉE AUX CAROTTES

1 paquet de 8 onces (250 g) de Fromage à la Crème Léger de MARQUE PHILADELPHIA, ramolli
1/2 tasse (125 ml) de carottes finement râpées
1 cuillérée à thé (5 ml) de flocons de persil
1/8 de cuillérée à thé (0,5 ml) de sel
Une pincée de poivre

Bien mélanger le fromage léger, les carottes et les assaisonnements. Servir avec des crudités.

1 tasse (250 ml)

VARIANTES
■ Remplacer les flocons de persil par de la ciboulette sèche, hachée.
■ Remplacer les flocons de persil par 1/2 cuillérée à thé (2 ml) de feuilles de basilic sec.
■ Remplacer les flocons de persil par 1/4 de cuillérée à thé (1 ml) d'aneth ou de poivre au citron.

TARTINADE À LA SAUCISSE BRAUNSCHWEIGER

1 paquet de 8 onces (250 g) de Fromage à la Crème de MARQUE PHILADELPHIA, ramolli
1/2 tasse (125 ml) de Margarine PARKAY, ramollie
6 onces (180 g) de saucisse Braunschweiger ou de saucisse de foie
2 cuillérées à table (25 ml) d'oignon haché
1 1/2 cuillérée à thé (7 ml) de jus de citron
Un soupçon de sauce worcestershire

Mélanger le fromage à la crème, la margarine et la saucisse jusqu'à l'obtention d'un mélange homogène. Ajouter les autres ingrédients, bien mélanger. Réfrigérer.

Environ 2 1/2 tasses (625 ml)

Trempette colorée aux carottes ▶

Choux au poulet au cari

CHOUX AU POULET AU CARI

  1/2 tasse (125 ml) d'eau
  1/3 de tasse (75 ml) de Margarine PARKAY
  2/3 de tasse (150 ml) de farine
      Une pincée de sel
   2 œufs

            *   *   *

   1 paquet de 8 onces (250 g) de Fromage à la Crème
        de MARQUE PHILADELPHIA, ramolli
  1/4 de tasse (50 ml) de lait
  1/4 de cuillérée à thé (1 ml) de sel
      Une pincée de poudre de cari
      Une pincée de poivre
1 1/2 tasse (375 ml) de poulet cuit coupé en petits dés
  1/3 de tasse (75 ml) d'amandes tranchées, grillées
   2 cuillérées à table (25 ml) d'oignon vert tranché

(suite)

24

Porter l'eau et la margarine à ébullition. Ajouter la farine et le sel; remuer vigoureusement à feu doux jusqu'à ce que le mélange forme une boule. Retirer du feu; ajouter les œufs, un à la fois, battre après chaque ajout jusqu'à l'obtention d'un mélange crémeux. Mettre la pâte à la cuillère sur une plaque à biscuits non graissée. Cuire à 400°F/200°C, 25 minutes. Laisser refroidir.

Mélanger le fromage à la crème, le lait, le sel, la poudre de cari et le poivre jusqu'à l'obtention d'un mélange homogène. Ajouter le poulet, les amandes et les oignons; remuer délicatement. Couper les chapeaux des choux, remplir de salade de poulet. Replacer les chapeaux. Placer les choux sur une plaque à biscuits. Cuire à 375°F/190°C, 5 minutes ou jusqu'à chaud.

Environ 1 1/2 douzaine

NOTE
Les choux vides peuvent être préparés plusieurs semaines à l'avance et congelés. Les placer sur une plaque à biscuits et les envelopper soigneusement d'une pellicule de plastique.

TARTINADE AUX LÉGUMES DU POTAGER

1 contenant de 8 onces (250 g) de Fromage à la Crème de MARQUE PHILADELPHIA Tartinable
1/2 tasse (125 ml) de carottes râpées
1/2 tasse (125 ml) de courgettes râpées
1 cuillérée à table (15 ml) de persil haché
1/4 de cuillérée à thé (1 ml) de sel d'ail
Une pincée de poivre

Bien mélanger tous les ingrédients. Réfrigérer. Servir sur des mini-tranches de pain de seigle, ou de pumpernickel ou des craquelins assortis.

1 1/3 tasse (325 ml)

VARIANTE
■ Servir sur des petites baguettes de pain congelées, décongelées et grillées.

TREMPETTE CHAUDE AU BŒUF

- 1/4 de tasse (50 ml) d'oignon haché
- 1 cuillérée à table (15 ml) de Margarine PARKAY
- 1 tasse (250 ml) de lait
- 1 paquet de 8 onces (250 g) de Fromage à la Crème de MARQUE PHILADELPHIA, coupé en cubes
- 1 paquet de 3 onces (90 g) de tranches de bœuf fumé, hachées
- 1 boîte de 4 onces (125 g) de champignons, égouttés
- 1/4 de tasse (50 ml) de Fromage Parmesan Râpé KRAFT
- 2 cuillérées à table (25 ml) de persil haché

Faire revenir les oignons dans la margarine. Ajouter le lait et le fromage à la crème; remuer à feu doux jusqu'à ce que le fromage soit fondu. Ajouter les ingrédients restants; cuire à feu vif en remuant occasionnellement. Servir chaud sur des tranches de pain français, si désiré.

2 1/2 tasses (625 ml)

VARIANTE
■ Remplacer les tranches de bœuf fumé par 2 1/2 onces (75 g) de tranches de dinde fumée.

SUGGESTION
Pour donner plus de couleur, servir avec des cubes de pain français, de blé entier ou de seigle.

ŒUFS CRÉMEUX À LA DIABLE

- 8 œufs durs
- 1 contenant de 8 onces (250 g) de Fromage à la Crème de MARQUE PHILADELPHIA Tartinable
- 2 cuillérées à table (25 ml) de relish sucrée
- 1/2 cuillérée à thé (2 ml) de moutarde sèche
- 1/4 de cuillérée à thé (1 ml) de sel
- Une pincée de poivre

Couper les œufs en deux. Retirer les jaunes, écraser. Incorporer le fromage à la crème, la relish et les assaisonnements. Remplir les blancs d'œufs.

16 œufs à la diable

Haut: Trempette chaude au bœuf
◀ *Bas: Tartinade au fromage et noix de pin (voir la page 28)*

TARTINADE AU FROMAGE ET NOIX DE PIN

1 paquet de 8 onces (250 g) de Fromage à la Crème de MARQUE PHILADELPHIA, ramolli
2 cuillérées à table (25 ml) de Fromage Parmesan Râpé KRAFT
1/4 de tasse (50 ml) de poivron vert haché
1 cuillérée à table (15 ml) d'oignon finement haché
2 cuillérées à thé (10 ml) de piments hachés
Une pincée de poivre de cayenne
1/3 de tasse (75 ml) de noix de pin, ou d'amandes tranchées, grillées

Bien mélanger tous les ingrédients sauf les noix de pin. Réfrigérer. Former une bûche. Recouvrir de noix de pin avant de servir.

1 tasse (250 ml)

VARIANTE
■ Remplacer le fromage à la crème par du Fromage à la Crème Léger de MARQUE PHILADELPHIA. Augmenter le parmesan à 1/4 de tasse (50 ml). Mettre à la cuillère dans un plat de service. Garnir de noix de pin au moment de servir.

CONSEIL
Les tartinades maison au fromage dans des contenants colorés font de jolis cadeaux pour l'hôtesse. Pour une touche personelle, inclure la recette.

TARTINADE PIQUANTE

1 paquet de 8 onces (250 g) de Fromage à la Crème de MARQUE PHILADELPHIA, ramolli
1/2 tasse (125 ml) de Margarine PARKAY, ramollie
1/4 de tasse (50 ml) de Fromage Parmesan Râpé KRAFT
2 cuillérées à table (25 ml) de vin blanc sec
2 cuillérées à table (25 ml) de persil haché
1/8 de cuillérée à thé (0,5 ml) de poivre
Une pincée de thym moulu
Une pincée de poudre d'ail

Bien mélanger le fromage à la crème et la margarine. Ajouter les ingrédients restants, bien mélanger. Réfrigérer.

Environ 1 2/3 tasse (400 ml)

CROISSANTS HORS-D'ŒUVRE AUX CREVETTES

1 paquet de 8 onces (250 g) de Fromage à la Crème Léger de MARQUE PHILADELPHIA, ramolli
1 tasse (250 ml) de crevettes cuites, hachées
1/3 de tasse (75 ml) de Fromage Parmesan Râpé KRAFT
1 cuillérée à table (15 ml) de lait
2 boîtes de 8 onces (235 g) de Croissants Rapides Réfrigérés PILLSBURY
1 œuf battu
1 cuillérée à thé (5 ml) d'eau

Bien mélanger le fromage léger, les crevettes, le parmesan et le lait. Séparer la pâte à croissants en huit rectangles; presser fermement sur les perforations pour sceller. Étendre uniformément 2 cuillérées à table (25 ml) combles de mélange sur chaque rectangle. Couper chaque rectangle en 6 triangles; rouler tel qu'indiqué sur la boîte. Placer sur une plaque à biscuits graissée; badigeonner à l'œuf mélangé à l'eau. Cuire à 375°F/190°C, 12 à 15 minutes ou jusqu'à ce que la pâte soit dorée. Servir chaud.

4 douzaines

VARIANTES
■ Remplacer les crevettes par 6 1/2 onces (200 g) de thon en flocons, égoutté.
■ Remplacer le fromage léger par du Fromage à la Crème de MARQUE PHILADELPHIA.

TREMPETTE AUX PALOURDES

8 onces (250 g) de palourdes émincées
1 paquet de 8 onces (250 g) de Fromage à la Crème de MARQUE PHILADELPHIA, ramolli
2 cuillérées à thé (10 ml) de jus de citron
1 1/2 cuillérée à thé (7 ml) de sauce worcestershire
1/4 de cuillérée à thé (1 ml) de sel d'ail
Une pincée de poivre

Égoutter les palourdes, réserver 1/4 de tasse (50 ml) de liquide. Bien mélanger les palourdes, le liquide réservé et les ingrédients restants. Réfrigérer. Servir avec des croustilles ou des crudités.

1 1/2 tasse (375 ml)

Tartinade hawaienne à la noix de coco

TARTINADE HAWAIENNE À LA NOIX DE COCO

1   contenant de 8 onces (250 g) de Fromage à la Crème de MARQUE PHILADELPHIA Tartinable

2   cuillérées à table (25 ml) de Conserves d'Abricot, d'Ananas ou de Pêche KRAFT

1/3 de tasse (75 ml) de flocons de noix de coco

Bien mélanger le fromage à la crème et la conserve. Ajouter la noix de coco, bien mélanger. Réfrigérer. Servir avec des tranches de pain aux noix.

1 1/3 tasse (325 ml)

VARIANTES

■ Ajouter 1/8 de cuillérée à thé (0,5 ml) de graines d'anis.
■ Remplacer les Conserves KRAFT par 1/4 de tasse (50 ml) de sauce aux canneberges entières.

Pizza hors-d'œuvre

7¹/₂ onces (212 g) de Petits Pains de Lait de Beurre
    Réfrigérés PILLSBURY
1 oignon moyen coupé en rondelles
1 tasse (250 ml) de courgette hachée
1 boîte de 4 onces (125 g) de champignons, égouttés
2 cuillérées à table (25 ml) de Margarine PARKAY
1 paquet de 8 onces (250 g) de Fromage à la Crème
    de MARQUE PHILADELPHIA, ramolli
¹/₄ de tasse (50 ml) de lait
1 œuf battu
¹/₂ cuillérée à thé (2 ml) de sel

Séparer chaque biscuit en deux parties. Placer sur une plaque à pizza graissée de 12 pouces (30 cm), recouvrir fond et bord. Aplanir pour former une seule croûte. Faire revenir l'oignon, la courgette et les champignons dans la margarine. Bien mélanger le fromage à la crème, le lait, l'œuf et le sel. Ajouter les légumes. Verser sur la pâte. Cuire à 400°F/200°C, 20 à 25 minutes jusqu'à ce qu'elle soit dorée. Servir chaud.

14 à 16 portions

Tartinade aux six ingrédients

1 paquet 8 onces (250 g) de Fromage à la Crème
    de MARQUE PHILADELPHIA, ramolli
4 onces (125 g) de Fromage Suisse 100% Naturel
    KRAFT, râpé
4 tranches de bacon cuit, émiettées
2 cuillérées à table (25 ml) d'oignon vert tranché
1 cuillérée à thé (5 ml) de sauce worcestershire
2 cuillérées à table (25 ml) de lait

Bien mélanger le fromage à la crème et le fromage suisse au fouet électrique à vitesse moyenne. Ajouter les ingrédients restants, bien mélanger. Réfrigérer. Servir avec des craquelins assortis.

1²/₃ tasse (400 ml)

BOULE AU FROMAGE POUR RÉCEPTION

2 paquets de 8 onces (250 g) de Fromage à la
  Crème de MARQUE PHILADELPHIA, ramolli
8 onces (250 g) de fromage cheddar fort, râpé
1 cuillérée à table (15 ml) de piments hachés
1 cuillérée à table (15 ml) de poivron vert haché
1 cuillérée à table (15 ml) d'oignon finement haché
2 cuillérées à thé (10 ml) de sauce worcestershire
1 cuillérée à thé (5 ml) de jus de citron
  Une pincée de cayenne
  Une pincée de sel
  Pacanes hachées

Bien mélanger le fromage à la crème et le fromage cheddar au fouet
électrique à vitesse moyenne. Ajouter les ingrédients restants sauf les
pacanes; bien mélanger. Réfrigérer plusieurs heures. Former une
boule; rouler dans les pacanes. Servir avec des craquelins.

Environ 2 tasses (500 ml)

VARIANTES
■ Supprimer les pacanes. Rouler dans le persil haché, le bœuf
séché ou des amandes grillées hachées.
■ Former en bûche. Garnir le dessus et le dessous de la bûche
de persil. Trancher. Servir avec des craquelins ou des tranches
de concombre.
■ Former des boulettes de 1 pouce (2,5 cm). Rouler dans des
noix hachées, du bœuf séché, des graines de sésame grillées
ou du persil haché.
■ Former une pyramide.Garnir un côté d'arachides hachées, le
deuxième côté de persil haché et le troisième côté de bœuf
séché haché. Servir sur du pain de seigle.
■ Former un ballon de football; enrober de pacanes. Garnir de
lamelles de piments sur le dessus pour former le laçage.

Haut: Trempette à l'aneth (voir la page 34)
Bas: Boule au fromage pour réception ▶

TREMPETTE À L'ANETH

- 1 paquet de 8 onces (250 g) de Fromage à la Crème Léger de MARQUE PHILADELPHIA, ramolli
- 1/2 tasse (125 ml) de Mayonnaise Légère Réduite en Calories KRAFT
- 3 cuillérées à table (50 ml) de lait
- 1/4 de tasse (50 ml) d'oignon vert haché
- 1 cuillérée à table (15 ml) de persil haché
- 3/4 de cuillérée à thé (3 ml) d'aneth
- 1/4 de cuillérée à thé (1 ml) de sel de céleri
- 1/4 de cuillérée à thé (1 ml) de poudre d'oignon

Bien mélanger le fromage léger, la mayonnaise et le lait. Incorporer les ingrédients restants. Réfrigérer. Servir avec des crudités.

1 1/2 tasse (375 ml)

TARTINADE RELEVÉE

- 1 paquet de 8 onces (250 g) de Fromage à la Crème de MARQUE PHILADELPHIA, ramolli
- 1/2 tasse (125 ml) de Margarine PARKAY, ramollie
- 2 cuillérées à table (25 ml) d'oignon haché
- 1 1/2 cuillérée à thé (7 ml) de pâte d'anchois
- 1 cuillérée à thé (5 ml) de moutarde pure préparée
- 1 cuillérée à thé (5 ml) de câpres hachées, égouttées
- 1 cuillérée à thé (5 ml) de graines de carvi
- 1 cuillérée à thé (5 ml) de paprika

Bien mélanger le fromage à la crème et la margarine. Ajouter les ingrédients restants. Bien mélanger. Réfrigérer.

Environ 1 2/3 tasse (400 ml)

Canapés roulés au fromage et aux fines herbes

CANAPÉS ROULÉS AU FROMAGE ET AUX FINES HERBES

- 1 paquet de 8 onces (250 g) de Fromage à la Crème de MARQUE PHILADELPHIA, ramolli
- 2 cuillérées à table (15 ml) de persil haché
- 2 cuillérées à thé (10 ml) de jus de citron
- 1/2 cuillérée à thé (2 ml) de feuilles de basilic sec, émiettées
- 1/8 de cuillérée à thé (0,5 ml) de poivre
- 1/8 de cuillérée à thé (0,5 ml) de poudre d'ail
- 1 pain de 1 livre (500 g) de blé entier non tranché, sans la croûte

Margarine Molle PARKAY

- 1/4 de tasse (50 ml) de pacanes finement hachées
- 1/4 de tasse (50 ml) de graines de sésame
- 1 cuillérée à table (15 ml) de sauce worcestershire

Bien mélanger le fromage à la crème, le persil, le jus et les assaisonnements. Trancher le pain dans sa longueur en tranches de 1/2 pouce (1 cm). Rouler chaque tranche jusqu'à épaisseur de 1/4 de pouce (6 mm). Étendre le mélange au fromage uniformément sur chaque tranche; rouler en commençant par le bout étroit. Tartiner les roulés de margarine en excluant les bouts. Dans un petit poêlon, mélanger les ingrédients restants, cuire 3 minutes ou jusqu'à ce que la sauce worcestershire s'évapore. Laisser refroidir. Enrober les roulés du mélange aux pacanes. Couvrir, réfrigérer au moins 30 minutes. Couper chaque roulé en tranches de 1/2 pouce (1 cm).

Environ 2 1/2 douzaines

35

TARTINADE AUX HERBES SAVOUREUSES

1 paquet de 8 onces (250 g) de Fromage à la Crème
   Léger de MARQUE PHILADELPHIA, ramolli
1 cuillérée à table (15 ml) de ciboulette hachée
1/4 de cuillérée à thé (1 ml) de feuilles de basilic sec,
   émiettées
Une pincée de poivre

Bien mélanger tous les ingrédients. Réfrigérer. À l'aide d'une douille à pâtisserie, déposer le mélange au fromage sur des tranches de courgettes et de poivrons rouges, des bâtonnets de carotte et des tomates cerises.

1 tasse (250 ml)

CONSEIL
Garder toujours un pot de tartinade aux herbes savoureuses dans le réfrigérateur pour les visiteurs inattendus ou des collations vite faites.

TREMPETTE CRÉMEUSE AU GINGEMBRE

1 paquet de 8 onces (250 g) de Fromage à la Crème
   Léger de MARQUE PHILADELPHIA, ramolli
2 cuillérées à table (25 ml) de jus d'orange
2 cuillérées à table de Marmelade d'Oranges KRAFT
1/8 de cuillérée à thé (0,5 ml) de gingembre moulu
   Variété de fruits frais

Bien mélanger les ingrédients. Réfrigérer. Servir avec des fruits.

1 tasse (250 ml)

SUGGESTION
Au petit déjeuner, servir la trempette crémeuse au gingembre sur des muffins aux fruits ou du pain aux noix.

Haut: Tartinade aux herbes savoureuses
◀ *Bas: Trempette crémeuse au gingembre*

TARTINADE DÉLECTABLE AU CHEDDAR

1 paquet de 8 onces (250 g) de Fromage à la Crème de MARQUE PHILADELPHIA, ramolli

1/2 tasse (125 ml) de Sauce à Salade MIRACLE WHIP

1 tasse (250 ml) de Fromage Cheddar Doux 100% Naturel Râpé KRAFT

2 cuillérées à table (25 ml) d'oignon vert tranché

8 tranches de bacon cuit, émiettées

1/2 tasse (125 ml) de craquelins au beurre, émiettés

Bien mélanger le fromage à la crème et la sauce à salade. Ajouter le cheddar et les oignons, bien mélanger. Déposer à la cuillère dans un moule à tarte de 9 pouces (22 cm); saupoudrer de miettes de bacon et de craquelins. Cuire à 350°F/180°C, 15 minutes. Servir sur des craquelins.

2 tasses (500 ml)

VARIANTE

■ Remplacer le bacon émietté par 1/4 de tasse (50 ml) de miettes à saveur de bacon.

MICRO-ONDES

Faire chauffer le fromage à la crème 30 secondes à température moyenne (50%). Suivre la recette tel qu'indiqué à l'exception du bacon et des miettes à saveur de bacon. Faire chauffer à haute température 4 minutes jusqu'à ce que la tartinade soit chaude, tourner le plat toutes les 2 minutes. Saupoudrer de bacon et de miettes mélangés. Servir tel qu'indiqué.

TORTILLAS APPÉTISSANTES

1 paquet de 3 onces (90 g) de Fromage à la Crème de MARQUE PHILADELPHIA, ramolli

2 cuillérées à table (25 ml) de chili vert haché
Une pincée de sel d'oignon

4 tortillas

2 cuillérées à table (25 ml) de Margarine PARKAY, fondue
Sauce à tacos

Bien mélanger le fromage à la crème, le chili et le sel d'oignon. Étendre sur les tortillas, rouler. Placer sur une plaque à biscuits non graissée, badigeonner de margarine. Cuire à 350°F/180°C, 20 minutes. Servir avec la sauce à tacos.

4 hors-d'œuvres

Hors-d'œuvre au fromage au four

HORS-D'ŒUVRE AU FROMAGE AU FOUR

1   paquet de 4 onces (125 g) de petits pains au
    beurre réfrigérés
1   paquet de 8 onces (250 g) de Fromage à la Crème
    de MARQUE PHILADELPHIA
½   cuillérée à thé d'aneth
1   jaune d'œuf battu

Dérouler la pâte sur une surface légèrement farinée, sceller les bords pour former un rectangle de 12 x 4 pouces (30 x 10 cm). Saupoudrer sur la surface du fromage à la crème la moitié de l'aneth; enfoncer l'aneth légèrement dans le fromage. Placer le fromage au centre de la pâte (côté aneth vers le bas). Saupoudrer le fromage de l'aneth restant. Refermer le fromage dans la pâte en ramenant les bords ensemble et presser les extrémités pour sceller. Placer sur une plaque à biscuits légèrement graissée; badigeonner du jaune d'œuf. Cuire à 350°F/180°C, 15 à 18 minutes pour que la pâte soit légèrement dorée. Servir avec des craquelins assortis et des tranches de pomme.

8 portions

VARIANTE
■ Remplacer l'aneth par ½ cuillérée à thé (2 ml) de feuilles de romarin sec, émiettées et ½ cuillérée à thé (2 ml) de paprika.

TREMPETTE CRÉMEUSE GUACAMOLE "PHILLY"

2 avocats moyens, pelés
1 cuillérée à table(15 ml) de jus de citron
1 paquet de 8 onces (250 g) de Fromage à la Crème de MARQUE PHILADELPHIA, ramolli
1/4 de tasse (50 ml) d'oignon finement haché
1/2 cuillérée à thé (2 ml) de sel
1/4 de cuillérée à thé (1 ml) de sel d'ail
1/4 de cuillérée à thé (1 ml) de sauce piquante aux piments
10 1/2 onces (315 g) de trempette de haricots rouges
Laitue finement émincée
Tomates hachées
Olives noires tranchées
Fromage Cheddar Doux 100% Naturel Râpé KRAFT

Écraser les avocats avec le jus de citron. Bien incorporer au mélange d'avocats le fromage à la crème, les oignons et les assaisonnements. Étendre la trempette de haricots rouges sur l'assiette de service. Garnir d'ingrédients restants. Servir avec le mélange d'avocats et des croustilles de maïs ou de tortillas. Garnir de tomates en morceaux et de tranches d'olives si désiré.

6 à 8 portions

VARIANTE
■ Remplacer la trempette de haricots par 16 onces (500 g) de haricots frits.

POMMES DE TERRE NOUVELLES FARCIES

2 livres (1 kg) de petites pommes de terre nouvelles
1 contenant de 8 onces (250 g) de Fromage à la Crème de MARQUE PHILADELPHIA Tartinable
Caviar
Ciboulette hachée

Cuire les pommes de terre dans l'eau bouillante salée 15 à 20 minutes ou jusqu'à tendres, égoutter. Couper une fine tranche de pomme de terre à la base pour qu'elles se tiennent. Vider les pommes de terre avec une cuillère à melon. Farcir de fromage à la crème, garnir de caviar et de ciboulette hachée. Servir chaud.

1 1/2 douzaine
Trempette crémeuse guacamole "Philly" ▶

Trempette à la florentine

TREMPETTE À LA FLORENTINE

1 paquet 8 onces (250 g) de Fromage à la Crème
Léger de MARQUE PHILADELPHIA, ramolli

$1/2$ tasse (125 ml) de yogourt nature

2 cuillérées à table (25 ml) de lait

1 paquet de 10 onces (300 g) d'épinards congelés,
decongelés, bien égouttés, hachés

2 œufs durs, finement hachés

$1/4$ de cuillérée à thé (1 ml) de poivre

$1/4$ de cuillérée à thé (1 ml) de sel

Bien mélanger le fromage léger, le yogourt et le lait. Incorporer les
ingrédients restants. Servir avec des crudités.

2$1/2$ tasses (625 ml)

Boule tropicale au fromage

1 paquet de 8 onces (250 g) de Fromage à la Crème de MARQUE PHILADELPHIA, ramolli

8¼ onces (260 g) d'ananas broyés, égouttés

8 onces (250 g) de Fromage Cheddar Doux 100% Naturel Râpé KRAFT

½ tasse (125 ml) de pacanes hachées

¼ de tasse (50 ml) d'abricots secs hachés

1 cuillérée à thé (5 ml) de gingembre cristallisé, haché

Flocons de noix de coco

Bien mélanger le fromage à la crème et l'ananas. Ajouter tous les ingrédients restants sauf la noix de coco; bien mélanger. Réfrigérer plusieurs heures. Former une boule. Rouler dans la noix de coco.

Environ 1½ tasse (375 ml)

Hors-d'œuvre piquant à la chair de crabe

1 paquet de 8 onces (250 g) de Fromage à la Crème de MARQUE PHILADELPHIA, ramolli

7½ onces (225 g) de chair de crabe, égouttée, émiettée

2 cuillérées à table (25 ml) d'oignon finement haché

2 cuillérées à table (25 ml) de lait

½ cuillérée à thé (2 ml) de raifort en crème

¼ de cuillérée à thé (1 ml) de sel

Une pincée de poivre

⅓ de tasse (75 ml) d'amandes hachées, grillées

Bien mélanger tous les ingrédients sauf les amandes. Déposer le mélange à la cuillère dans un moule à tarte de 9 pouces (22 cm), saupoudrer d'amandes. Cuire à 375°F/190°C, 15 minutes. Servir avec des craquelins.

Environ 1½ tasse (375 ml)

VARIANTES

■ Remplacer le crabe par 1 boîte de 8 onces (250 g) de palourdes en morceaux, égouttées.

■ Supprimer les amandes, saupoudrer d'aneth.

SANDWICHES AU CONCOMBRE (POUR LE THÉ)

16 tranches de pain blanc
1 paquet de 8 onces (250 g) de Fromage à la Crème de MARQUE PHILADELPHIA, ramolli
2 cuillérées à table (25 ml) d'oignon râpé
1 concombre moyen, pelé, épépiné
2 cuillérées à table (25 ml) de Vraie Mayonnaise KRAFT
1/8 de cuillérée à thé (0,5 ml) de poudre d'ail

Couper 32 rondelles de pain à l'emporte-pièce en carrés de 2 pouces (5 cm). Bien mélanger le fromage à la crème et l'oignon. Râper le concombre, bien égoutter. Ajouter la mayonnaise mélangée à la poudre d'ail; bien mélanger. Pour chaque sandwich, étendre 1 cuillérée à table (15 ml) comble de mélange de fromage à la crème sur une rondelle de pain. Couvrir d'une deuxième rondelle, garnir du mélange au concombre. Presser légèrement.

16 sandwiches

TARTINADE AU FROMAGE

1 paquet 8 onces (250 g) de Fromage à la Crème de MARQUE PHILADELPHIA, ramolli
6 onces (180 g) de Fromage Cheddar Fort 100% Naturel Râpé KRAFT
2 onces (60 g) de Fromage Bleu Naturel KRAFT, émietté
1/2 tasse (125 ml) de Margarine PARKAY, ramollie
2 cuillérées à table (25 ml) de lait
2 cuillérées à table (25 ml) d'oignon haché
1 cuillérée à thé (5 ml) de sauce worcestershire

Bien mélanger les fromages et la margarine. Ajouter les ingrédients restants; bien mélanger. Réfrigérer.

Environ 3 tasses (750 ml)

TARTINADE AUX CREVETTES MOULÉE

1 paquet de 8 onces (250 g) de Fromage à la Crème
   Léger de MARQUE PHILADELPHIA, ramolli
1 paquet de 6 onces (180 g) de crevettes miniatures
   cuites congelées, décongelées, égouttées
1/4 de tasse (50 ml) d'olives noires dénoyautées,
   tranchées
1 pot de 2 onces (60 g) de piments tranchés,
   égouttés et haché
2 cuillérées à thé (10 ml) de jus de citron
1 1/2 cuillérée à thé (7 ml) d'oignon haché déshydraté
1/2 cuillérée à thé (2 ml) de sauce worcestershire
1/2 cuillérée à thé (2 ml) de sauce piquante

Bien mélanger les ingrédients. Mettre le mélange dans un bol de 2
tasses (500 ml). Réfrigérer plusieurs heures. Démouler. Servir avec
des craquelins.

VARIANTES
■ Remplacer les crevettes congelées par des crevettes
fraîches, décortiquées, cuites, finement hachées.
■ Remplacer le fromage léger par du Fromage à la Crème de
MARQUE PHILADELPHIA.

SAUCISSES EN PÂTE

1 paquet de 8 onces (250 g) de Fromage à la Crème
   de MARQUE PHILADELPHIA, ramolli
1 tasse (250 ml) de Margarine PARKAY
2 tasses (500 ml) de farine
1 livre (500 g) de saucisses fumées coupées en
   morceaux de 1/2 pouce (1 cm)

Bien mélanger le fromage à la crème et la margarine au fouet
électrique à vitesse moyenne. Ajouter la farine, bien mélanger.
Former une boule. Réfrigérer. Diviser la pâte en deux. Sur une
surface farinée, rouler chaque part de pâte en rectangles de 15 x 12
pouces (38 x 30 cm) couper en carrés de 3 pouces (7,5 cm). Placer
un morceau de saucisse au mileu de chaque carré de pâte.
Assembler les bords, presser pour sceller. Placer sur une plaque à
biscuits. Cuire à 400°F/200°C, 20 minutes. Servir avec de la sauce à
la moutarde forte.

Environ 40 hors-d'œuvres

Champignons farcis "Philly"

CHAMPIGNONS FARCIS "PHILLY"

- 2 livres (1 kg) de champignons moyens
- 6 cuillérées à table (100 ml) de Margarine PARKAY
- 1 paquet de 8 onces (250 g) de Fromage à la Crème de MARQUE PHILADELPHIA, ramolli
- 1/2 tasse (125 ml) de Fromage Bleu Naturel KRAFT, émietté
- 2 cuillérées à table (25 ml) d'oignon haché

Enlever les tiges des champignons, hacher 1/2 tasse (125 ml) de ces tiges. Cuire la moitié des chapeaux de champignons dans 3 cuillérées à table (50 ml) de margarine, 5 minutes à feu moyen; égoutter. Répéter avec l'autre moitié de chapeaux de champignons et de margarine. Bien mélanger le fromage à la crème et le fromage bleu. Incorporer les tiges hachées et les oignons; farcir les chapeaux de champignons. Placer sur une plaque à biscuits, faire griller jusqu'à doré.

Environ 2 1/2 douzaines

TARTINADE AUX CREVETTES

1 paquet de 8 onces (250 g) de Fromage à la Crème
de MARQUE PHILADELPHIA, ramolli
1/2 tasse (125 ml) de Margarine PARKAY, ramollie
1/4 de tasse (50 ml) de sauce au chili
2 cuillérées à thé (10 ml) de raifort préparé
8 1/2 onces (265 g) de petites crevettes en boîte,
égouttées et finement hachées

Bien mélanger le fromage à la crème et la margarine. Ajouter la
sauce au chili et le raifort au mélange de fromage à la crème, bien
mélanger. Ajouter les crevettes. Mélanger. Réfrigérer.

Environ 2 1/2 tasses (675 ml)

VARIANTE
■ Remplacer les crevettes en boîte par 1/2 livre (250 g) de
crevettes fraîches, décortiquées et cuites.

FLAN AU FROMAGE BLEU

3/4 de tasse (175 ml) de craquelins au beurre,
émiettés
2 cuillérées à table (25 ml) de Margarine PARKAY,
fondue
2 paquets de 8 onces (250 g) de Fromage à la
Crème de MARQUE PHILADELPHIA, ramolli
8 onces (250 g) de Fromage Bleu KRAFT, émietté
1 2/3 tasse (400 ml) de crème sure
3 œufs battus
1/8 de cuillérée à thé (0,5 ml) de poivre

Mélanger délicatement les craquelins et la margarine; foncer un
moule à bord amovible de 9 pouces (22 cm). Cuire à 350°F/180°C
10 minutes.

Bien mélanger le fromage à la crème et le fromage bleu à l'aide d'un
fouet électrique à vitesse moyenne. Ajouter 2/3 de tasse (150 ml) de
crème sure, les œufs et le poivre; bien mélanger. Verser le mélange
sur l'abaisse. Cuire à 300°F/150°C, 45 minutes. Remuer la crème
sure restante; étendre délicatement sur le flan. Prolonger la cuisson
de 10 minutes. Passer un couteau autour du moule; refroidir avant de
démouler. Réfrigérer. Servir avec des fruits frais et des tranches de
pain français si désiré.

16 portions

PLATS DE RÉSISTANCE MAGIQUES

TACOS AU POULET

1 paquet de 8 onces (250 g) de Fromage à la Crème de MARQUE PHILADELPHIA, coupé en cubes

1/3 de tasse (75 ml) de lait

1 1/2 tasse (375 ml) de poulet cuit, coupé en dés

4 onces (125 g) de piments verts chili, hachés, égouttés

1/2 cuillérée à thé (2 ml) de sel

1/4 de cuillérée à thé (1 ml) de poudre de chili ou de cumin moulu

10 coquilles de tacos

Laitue finement hachée

Tomate coupée en quartiers

Mettre le fromage à la crème et le lait dans une casserole; mélanger, cuire à feu doux jusqu'à consistance crémeuse. Incorporer le poulet, les piments verts chili et les assaisonnements; bien chauffer en remuant de temps en temps. Remplir les coquilles de tacos du mélange à la volaille, de laitue et de tomates.

10 tacos

DINDE AUX FINES HERBES

1 1/4 livre (625 g) de blanc de dinde fraîche tranchée

1/4 de tasse (50 ml) de farine

1/4 de cuillérée à thé (1 ml) de sel

2 cuillérées à table (25 ml) d'huile

* * *

1 paquet de 8 onces (250 g) de Fromage à la Crème Léger de MARQUE PHILADELPHIA, coupé en cubes

1/3 de tasse (75 ml) de lait

1 gousse d'ail hachée

1 cuillérée à thé (5 ml) d'oignon râpé

1/4 de cuillérée à thé (1 ml) de feuilles d'origan sec, émiettées

1/8 de cuillérée à thé (0,5 ml) de poivre

Enduire la dinde de la farine mélangée au sel. Faire sauter la dinde des deux côtés dans l'huile chaude à feu moyen-chaud 4 à 6 minutes ou jusqu'à ce que la dinde ne soit plus rosée.

Mélanger le fromage léger et le lait; chauffer en remuant à feu doux jusqu'à ce que le mélange soit crémeux. Incorporer l'ail, l'oignon et les assaisonnements. Servir sur la dinde.

4 portions

LASAGNE CRÉMEUSE

- 1 livre (500 g) de bœuf haché
- 1/2 tasse (125 ml) d'oignon haché
- 1 boîte de 14 1/2 onces (435 g) de tomates, coupées en morceaux
- 6 onces (180 g) de pâte de tomate
- 1/3 de tasse (75 ml) d'eau
- 1 gousse d'ail émincée
- 1 cuillérée à thé (5 ml) de feuilles d'origan sec, émiettées
- 1/2 cuillérée à thé (2 ml) de sel
- 1/4 de cuillérée à thé (1 ml) de poivre
- 2 paquets de 7 onces (250 g) de Fromage à la Crème de MARQUE PHILADELPHIA, coupé en cubes
- 1/4 de tasse (50 ml) de lait
- 8 onces (250 g) de lasagnes, cuites, égouttées
- 2 paquets de 6 onces (200 g) de Fromage Mozzarella Partiellement Écrémé 100% Naturel KRAFT
- 1/2 tasse (125 ml) de Fromage Parmesan Râpé KRAFT

Faire revenir le bœuf dans un poêlon, égoutter. Ajouter les oignons, cuire jusqu'à ce qu'ils soient tendres. Incorporer les tomates, la pâte de tomate, l'eau, l'ail et les assaisonnements. Couvrir; laisser mijoter 30 minutes. Mélanger le fromage à la crème et le lait dans une casserole; remuer à feu doux jusqu'à ce que le mélange soit crémeux. Dans un moule de 13 x 9 pouces (34 x 22 cm), étendre la moitié des pâtes, la viande, le fromage à la crème, le mozzarella et le parmesan. Répéter. Cuire à 350°F/180°C, 30 minutes. Laisser reposer 10 minutes avant de servir.

6 à 8 portions

MICRO-ONDES
Émietter la viande dans un récipient de 1 1/2 pinte (1,5 L). Cuire au micro-ondes a haute température 4 à 5 minutes ou jusqu'à ce que la viande ne soit plus rosée, égoutter. Ajouter oignons, tomates, pâte de tomate, eau et assaisonnements. Couvrir; cuire 12 minutes en remuant toutes les 3 minutes. Chauffer le fromage à la crème et le lait 3 à 4 minutes dans un récipient d'un litre jusqu'à ce que la sauce soit chaude et crémeuse, remuer après 1 1/2 minute. Dans un moule de 13 x 9 pouces (34 x 22 cm), étaler la moitié des pâtes, la viande, le fromage à la crème, le mozzarella et le parmesan; répéter. Cuire 12 minutes, tourner le moule toutes les 4 minutes. Garnir du reste de mozzarella et de parmesan. Cuire 4 à 6 minutes jusqu'à ce que la lasagne soit chaude. Laisser reposer 10 minutes avant de servir.

CRÊPES TENTATION AU FROMAGE

2/3 de tasse (150 ml) de farine
1/2 cuillérée à thé (2 ml) de sel
3 œufs battus
1 tasse (250 ml) de lait

* * *

2 paquets de 8 onces (250 g) de Fromage à la
   Crème Léger de MARQUE PHILADELPHIA,
   ramolli
1/4 de tasse (50 ml) de sucre
1 cuillérée à thé (5 ml) de vanille
Garniture fraises-bananes

Bien mélanger la farine, le sel et les œufs jusqu'à l'obtention d'un mélange crémeux. Peu à peu, ajouter le lait; le mélange doit être homogène. Pour chaque crêpe, verser 1/4 de tasse (50 ml) de pâte à crêpe dans un poêlon ou une crêpière légèrement graissée, pencher le poêlon pour couvrir tout le fond. Cuire à feu moyen-chaud, en tournant une fois, jusqu'à ce que la crêpe soit dorée des deux côtés.

Bien mélanger le fromage léger, le sucre et la vanille. Verser 1/4 de tasse (50 ml) de mélange de fromage à la crème sur chaque crêpe. Plier en portefeuille. Placer dans un moule de 13 x 9 pouces (34 x 22 cm). Cuire à 350°F/180°C, 15 à 20 minutes jusqu'à ce que les crêpes soient chaudes. Servir avec la garniture fraises-bananes.

8 portions

GARNITURE FRAISES-BANANES

10 onces (300 g) de fraises congelées, décongelées
1 cuillérée à table (15 ml) de fécule de maïs
1 banane tranchée

Égoutter les fraises, réserver le jus. À ce jus, ajouter assez d'eau pour avoir 1 1/4 tasse (300 ml); dans une casserole incorporer peu à peu la fécule de maïs, remuer. Amener à ébullition à feu doux, remuer constamment. Faire bouillir une minute. Incorporer les fruits.

2 tasses (500 ml)

CONSEIL POUR LA PRÉPARATION
Le poêlon ou la crêpière doit être graissé légèrement et préchauffé jusqu'à ce qu'une goutte d'eau y grésille. Si le poêlon n'est pas assez chaud, les crêpes seront trop épaisses et colleront.

Haut: Quiche "Philly" pour le brunch,
variante aux épinards (voir la page 68)
Bas: Crêpes tentation au fromage ▶

SOUFFLÉ À LA MODE DU SUD-OUEST

1/2 livre (250 g) de bœuf haché

1/2 tasse (125 ml) d'oignon haché

1 paquet de 8 onces (250 g) de Fromage à la Crème de MARQUE PHILADELPHIA, coupé en cubes

1/4 de tasse (50 ml) d'eau

1/2 cuillérée à thé (2 ml) de sel

1/2 cuillérée à thé (2 ml) de feuilles d'origan sec, émiettées

1/4 de cuillérée à thé (1 ml) de cumin moulu

* * *

3/4 de tasse (175 ml) de farine

1/2 cuillérée à thé (2 ml) de sel

3/4 de tasse (175 ml) de lait

2 œufs battus

1 cuillérée à table (15 ml) de farine de maïs

1 tomate moyenne, coupée en quartiers

Faire revenir la viande, égoutter. Ajouter les oignons; les cuire jusqu'à ce qu'ils soient tendres. Ajouter le fromage à la crème et l'eau; remuer à feu doux jusqu'à ce que le fromage soit fondu. Incorporer les assaisonnements.

Mélanger la farine, le sel, le lait et les œufs; battre jusqu'à l'obtention d'un mélange crémeux. Mettre dans un plat à tarte de 9 pouces (22 cm); parsemer de farine de maïs. À la cuillère, disposer le mélange de viande sur la pâte. Cuire à 400°F/200°C, 35 minutes. Garnir de tomates.

6 à 8 portions

VARIANTE

■ Ajouter 4 onces (125 g) de piments verts chili, hachés et égouttés, au mélange de viande.

PAIN DE VIANDE ROULÉ À LA MEXICAINE

1 1/2 livre (750 g) de bœuf haché
1/4 de tasse (50 ml) de flocons d'avoine à l'ancienne ou rapide, non cuits
2 œufs battus
1 cuillérée à table (15 ml) de sauce worcestershire
1 cuillérée à thé (5 ml) de poivre
1 paquet de 8 onces (250 g) de Fromage à la Crème de MARQUE PHILADELPHIA, ramolli
4 onces (125 g) de piments verts chili hachés, égouttés
3/4 de tasse (175 ml) de salsa

Bien mélanger la viande, les flocons, les œufs, la sauce worcestershire et le poivre. Sur du papier ciré, former un rectangle de 20 x 10 1/2 pouces (50 x 26 cm). Bien mélanger le fromage à la crème et les piments verts chili. Étendre le fromage sur le mélange de viande jusqu'à 1 pouce (2,5 cm) du bord. Rouler comme un gâteau à la gelée en commençant par une des largeurs du rectangle. Placer dans un moule de 12 x 8 pouces (30 x 20 cm). Cuire à 350°F/180°C, 40 minutes. Garnir de salsa. Prolonger la cuisson de 10 minutes. Laisser reposer 10 minutes avant de servir.

6 à 8 portions

SALADE D'ŒUFS MAGNIFIQUE

1 paquet de 8 onces (250 g) de Fromage à la Crème de MARQUE PHILADELPHIA, ramolli
1/2 tasse (125 ml) de Vraie Mayonnaise KRAFT
1 cuillérée à table (15 ml) de crème de raifort préparée
6 œufs durs, hachés
6 onces (180 g) de chair de crabe congelée, décongelée, égouttée
1/2 tasse (125 ml) de céleri haché
1/2 tasse (125 ml) de poivrons verts ou rouges hachés
6 croissants coupés en deux
Laitue

Bien mélanger le fromage à la crème, la mayonnaise et le raifort. Ajouter les œufs, la chair de crabe, le céleri et les poivrons. Remuer légèrement. Réfrigérer. Remplir les croissants avec la laitue et le mélange d'œufs.

6 sandwiches

POULET SAUTÉ SAUCE À LA CRÈME

    2 poitrines de poulet, séparées, désossées et sans peau
    2 cuillérées à table (25 ml) de Margarine PARKAY
 1½ tasse (375 ml) de champignons tranchés
    1 tasse (250 ml) de céleri tranché
    1 petit oignon finement tranché
  ½ cuillérée à thé (2 ml) de poivre
  ½ cuillérée à thé (2 ml) de feuilles de basilic sec,
       émiettées
  ¼ de cuillérée à thé (1 ml) de cerfeuil sec, émietté
  ⅛ de cuillérée à thé (0,5 ml) de thym sec, émietté
  ¼ de tasse (50 ml) de vin blanc ou de sherry
    1 paquet de 8 onces (250 g) de Fromage à la Crème
       de MARQUE PHILADELPHIA, coupé en cubes
  ⅓ de tasse (75 ml) de lait
    8 onces (250 g) de torsades tricolores, cuites et
       égouttées

Couper le poulet en lamelles. Faire fondre la margarine dans un grand poêlon; ajouter le poulet, les légumes et les assaisonnements. Cuire à feu moyen, en remuant de temps en temps, 10 minutes ou jusqu'à ce que le poulet soit tendre. Ajouter 2 cuillérées à table de vin; faire mijoter 5 minutes. Mélanger le fromage à la crème, le lait et le vin restant dans une casserole; remuer à feu doux jusqu'à ce que le mélange soit crémeux. Pour servir, placer les pâtes dans un plat de service. Garnir du poulet et de la sauce à la crème. Garnir de feuilles de céleri si désiré.

4 à 6 portions

◀ *Poulet sauté sauce à la crème*

DINDE TETRAZZINI CRÉMEUSE

$1/2$ tasse (125 ml) d'oignon haché
$1/2$ tasse (125 ml) de céleri haché
$1/4$ de tasse (50 ml) de Margarine PARKAY
$10^3/4$ onces (325 ml) de bouillon de poulet
1 paquet de 8 onces (250 g) de Fromage à la Crème de MARQUE PHILADELPHIA, coupé en cubes
7 onces (210 g) de spaghettis, cuits, égouttés
1 tasse (250 ml) de dinde cuite, coupée en dés
1 boîte de 4 onces (125 g) de champignons, égouttés
2 cuillérées à table (25 ml) de pimento haché
$1/4$ de cuillérée à thé (1 ml) de sel
$1/4$ de tasse (50 ml) de Fromage Parmesan Râpé KRAFT

Faire revenir les oignons et le céleri dans la margarine. Ajouter le bouillon et le fromage à la crème; remuer à feu très doux jusqu'à ce que le fromage à la crème soit fondu. Ajouter les ingrédients restants sauf le parmesan; remuer légèrement. Déposer à la cuillère dans un plat de $1^1/2$ pinte (1,5 L); saupoudrer de fromage parmesan. Cuire à 350°F/180°C, 30 minutes.

6 portions

VARIANTES
■ Remplacer la dinde par du poulet cuit coupé en dés.
■ Dissoudre un cube de bouillon de poulet dans 1 tasse (250 ml) d'eau bouillante. Remplacer le bouillon de poulet par le cube de bouillon dilué dans l'eau.

CREVETTES À LA PARISIENNE

2 cuillérées à table (25 ml) de Margarine PARKAY, fondue
1 livre (500 g) de crevettes décortiquées
2 tasses (500 ml) de champignons tranchés
2 cuillérées à table (25 ml) d'oignon vert tranché
1 paquet de 8 onces (250 g) de Fromage à la Crème de MARQUE PHILADELPHIA, coupé en cubes
$1/4$ de tasse (50 ml) de lait
$1/2$ tasse (125 ml) de Fromage Suisse 100% Naturel Râpé KRAFT
3 cuillérées à table (50 ml) de vin blanc sec
2 cuillérées à table (25 ml) de chapelure de pain

(suite)

Réserver 2 cuillérées à thé (10 ml) de margarine fondue. Faire sauter les crevettes dans la margarine restante 3 à 5 minutes ou jusqu'à ce qu'elles soient rosées. Ajouter les champignons et les oignons; cuire jusqu'à ce qu'ils soient tendres. Retirer crevettes et champignons à l'aide d'une écumoire. Ajouter le fromage à la crème et le lait. Remuer à feu doux jusqu'à ce que le mélange soit crémeux. Ajouter le fromage suisse et le vin; remuer jusqu'à ce que le fromage soit fondu. Remettre les crevettes dans la poêle, remuer légèrement. Disposer à la cuillère dans 4 petits plats de 4 onces (125 ml) ou un récipient de 1 pinte (1 L) légèrement graissés. Mélanger la margarine réservée à la chapelure. En saupoudrer le mélange de crevettes. Griller 1 à 2 minutes jusqu'à ce que le tout soit doré.

4 portions

TARTE FIESTA MEXICAINE

1/2 livre (250 g) de bœufs haché

1/4 de tasse (50 ml) d'oignon haché

2 cuillérées à thé (10 ml) d'assaisonnement au chili

1 paquet de 8 onces (250 g) de Fromage à la Crème de MARQUE PHILADELPHIA, coupé en cubes

1 boîte de 4 onces (125 g) de piments verts chili hachés, égouttés

1/2 tasse (125 ml) d'olives noires, tranchées, égouttées

2 œufs battus

*   *   *

3/4 de tasse (175 ml) de farine

1/3 de tasse (75 ml) de lait

2 œufs battus

1 cuillérée à table (15 ml) de farine de maïs

1 tasse (250 ml) de tomates coupées en quartiers

4 onces (125 g) de Fromage Cheddar Doux 100% Naturel Râpé KRAFT

Faire revenir la viande, égoutter. Ajouter les oignons, cuire jusqu'à ce qu'ils soient tendres. Incorporer l'assaisonnement au chili. Ajouter le fromage à la crème, les piments verts chili, les olives et les œufs, bien mélanger.

Mélanger la farine, le lait et les œufs; battre jusqu'à l'obtention d'un mélange crémeux. Verser dans un moule à tarte de 10 pouces (25 cm) ou une assiette à quiche; saupoudrer de farine de maïs. Étendre la viande à la cuillère sur la pâte, laisser un bord de 1/2 pouce (1 cm). Cuire à 400°F/200°C, 35 à 40 minutes, jusqu'à ce que le tout soit doré. Garnir de tomates et de fromage cheddar. Prolonger la cuisson de 5 minutes.

6 à 8 portions

SUPERBE STROGANOFF

1 livre (500 g) de steak de bœuf, surlonge, coupé en minces lamelles
3 cuillérées à table (50 ml) de Margarine PARKAY
1/2 tasse (125 ml) d'oignon haché
1 boîte de 4 onces (125 g) de champignons, égouttés
1/2 cuillérée à thé (2 ml) de sel
1/4 de cuillérée à thé (1 ml) de moutarde sèche
1/4 de cuillérée à thé (1 ml) de poivre
1 paquet de 8 onces (250 g) de Fromage à la Crème de MARQUE PHILADELPHIA, coupé en cubes
3/4 de tasse (175 ml) de lait
Nouilles chaudes persillées

Dans un grand poêlon faire revenir le steak dans la margarine. Ajouter les oignons, les champignons et les assaisonnements; cuire jusqu'à ce que les légumes soient tendres. Ajouter le fromage à la crème et le lait; cuire à feu doux jusqu'à ce que le fromage à la crème soit fondu. Verser sur les nouilles.

4 à 6 portions

ŒUFS SAVOUREUX DU DIMANCHE

1/4 de livre (125 g) de chair à saucisse de porc
1/2 tasse (125 ml) d'oignon haché
8 œufs battus
1/2 tasse (125 ml) de lait
Une pincée de poivre
1 paquet de 8 onces (250 g) de Fromage à la Crème de MARQUE PHILADELPHIA, coupé en cubes
Ciboulette hachée

Dans un grand poêlon, faire dorer la chair à saucisse, égoutter. Ajouter les oignons; cuire jusqu'à ce qu'ils soient tendres. Ajouter les œufs, le lait et le poivre mélangés ensemble. Cuire lentement en remuant à l'occasion jusqu'à ce que les œufs commencent à prendre. Ajouter le fromage à la crème; continuer la cuisson en remuant de temps en temps, jusqu'à ce que le fromage à la crème soit fondu et que les œufs soient pris. Saupoudrer de ciboulette.

6 portions

Fettucini Alfredo à la crème

FETTUCINI ALFREDO À LA CRÈME

1 paquet de 8 onces (250 g) de Fromage à la Crème
de MARQUE PHILADELPHIA, coupé en cubes

3/4 de tasse (175 ml) de Fromage Parmesan Râpé
KRAFT

1/2 tasse (125 ml) de Margarine PARKAY

1/2 tasse (125 ml) de lait

8 onces (250 g) de nouilles fettucini cuits, égouttés

Dans une grande casserole, mélanger le fromage à la crème, le
fromage parmesan, la margarine et le lait; remuer à feu doux jusqu'à
l'obtention d'un mélange crémeux. Ajouter les fettucini; remuer
délicatement.

4 portions

THON CRÉMEUX SUR BAGELS

1 paquet de 8 onces (250 g) de Fromage à la Crème
de MARQUE PHILADELPHIA, ramolli

6$^{1}/_{2}$ onces (195 g) de thon en conserve égoutté,
émietté

2 cuillérées à table (25 ml) d'oignon vert tranché

$^{1}/_{2}$ cuillérée à thé (2 ml) d'aneth

Une pincée de poivre

3 bagels, pré-tranchés, grillés

Mélanger tous les ingrédients sauf les bagels, remuer légèrement.
Étendre la garniture de fromage à la crème sur les moitiés de bagels.
Griller 5 à 7 minutes ou jusqu'à ce que les bagels soient chauds.

6 portions

VARIANTE
■ Remplacer le thon par 6$^{3}/_{4}$ onces (200 g) de jambon en
conserve coupé grossièrement.

SALADE DE POULET ÉTAGÉE

1 paquet de 8 onces (250 g) de Fromage à la Crème
de MARQUE PHILADELPHIA, ramolli

2 avocats moyens, pelés, écrasés

$^{1}/_{4}$ de tasse (50 ml) de lait

1 cuillérée à table (15 ml) de jus de citron

1 cuillérée à table (15 ml) d'oignon haché

$^{1}/_{2}$ cuillérée à thé (2 ml) de sel

4 tasses (1 L) de laitue finement tranchée

1 tasse (250 ml) de poivrons rouges ou verts

2 tasses (500 ml) de poulet cuit, coupé en cubes

11 onces (330 g) de quartiers de mandarines,
égouttés

4 tranches de bacon cuit, émiettées

Bien mélanger le fromage léger, les avocats, le lait et le jus. Ajouter
les oignons et le sel, bien mélanger. Dans un bol de 2$^{1}/_{2}$ pintes
(2,5 L), mettre en couche la laitue, les poivrons, le poulet et les
mandarines. Étendre le mélange de fromage léger pour couvrir les
mandarines. Réfrigérer. Garnir de bacon au moment de servir.

6 à 8 portions

BROCHETTES "PHILLY"

2/3 de tasse (150 ml) de Vinaigrette Italienne "Zesty"
  KRAFT

1 1/2 livre (750 g) de steak de ronde, coupé en lamelles

1/4 de tasse (50 ml) d'oignon haché

1 cuillérée à table (15 ml) de Margarine PARKAY

1 paquet de 8 onces (250 g) de Fromage à la
  Crème de MARQUE PHILADELPHIA, coupé
  en cubes

3/4 de tasse (175 ml) de lait

1/4 de tasse (50 ml) de Fromage Parmesan Râpé
  KRAFT

1/4 de cuillérée à thé (1 ml) de moutarde sèche

2 tasses (500 ml) de courge d'été coupée en
  tranches de 1/2 pouce (1 cm)

1 tasse (250 ml) de tomates cerises

Riz cuit, chaud

Verser la vinaigrette sur le steak. Couvrir; laisser mariner au
réfrigérateur quelques heures ou toute une nuit. Égoutter; conserver
la vinaigrette. Faire revenir les oignons dans la margarine. Ajouter le
fromage à la crème et le lait; remuer à feu doux jusqu'à ce que le
fromage à la crème soit fondu. Incorporer le fromage parmesan et la
moutarde.

À l'intérieur
Mettre en brochette le steak et les légumes; placer sur le gril. Griller
au four 8 à 10 minutes ou jusqu'à cuisson désirée en badigeonnant
fréquemment de la vinaigrette réservée et en tournant à l'occasion.
Servir sur du riz. Garnir de mélange de fromage à la crème.

À l'extérieur
Mettre en brochette le steak et les légumes; placer sur un gril beurré
au dessus des braises. Griller à découvert jusqu'à la cuisson désirée,
en badigeonnant fréquemment de vinaigrette et en tournant à
l'occasion. Servir sur du riz. Garnir de mélange de fromage à la
crème.

6 portions

SALADE DE POULET POUR LES FÊTES

1 boîte de 8 onces (250 g) d'ananas broyés, non égouttés

1 contenant de 8 onces (250 g) de Fromage à la Crème de MARQUE PHILADELPHIA Tartinable

2 tasses (500 ml) de poulet cuit coupé en dés

1 boîte de 8 onces (250 g) de chataignes d'eau, égouttées, tranchées

1/2 tasse (125 ml) de céleri tranché

1/2 tasse (125 ml) d'amandes tranchées, grillées

1/4 de tasse (50 ml) d'oignon vert tranché

1/4 de cuillérée à thé (1 ml) de sel

Une pincée de poivre

4 tomates moyennes

Laitue

Égoutter les ananas, réserver 1/4 de tasse (50 ml) de liquide. Bien mélanger ce liquide au fromage à la crème. Ajouter les ananas, le poulet, les chataignes d'eau, le céleri, 1/4 de tasse (50 ml) d'amandes, les oignons, le sel et le poivre. Remuer légèrement. Réfrigérer. Couper chaque tomate en six quartiers, presque jusqu'au pédoncule. Remplir de garniture au poulet, Saupoudrer du reste des amandes. Servir sur une feuille de laitue.

4 portions

VARIANTES

■ Supprimer les tomates, servir la salade sur des morceaux de melon miel ou cantaloup ou sur des îlots de laitue.

■ Remplacer les amandes par des pacanes.

Salade de poulet pour les fêtes ▶

Strata jambon fromage

12 tranches de pain blanc

6 onces (180 g) de Fromage Cheddar Doux 100%
Naturel Râpé KRAFT

1 paquet de 10 onces (300 g) de brocoli haché,
décongelé, bien égoutté

1 tasse (250 ml) de jambon haché

1 paquet de 8 onces (250 g) de Fromage à la Crème
de MARQUE PHILADELPHIA, ramolli

3 œufs

1 tasse (250 ml) de lait

1/2 cuillérée à thé (2 ml) de moutarde sèche

Placer 6 tranches de pain dans une plaque de 12 x 8 pouces
(30 x 20 cm) allant au four. Garnir d'une tasse de fromage cheddar,
de brocoli, de jambon et du restant des tranches de pain coupées en
deux (en diagonale). Battre le fromage à la crème jusqu'à ce qu'il
soit léger et crémeux. Ajouter les œufs, un à la fois, bien mélanger
après chaque ajout. Incorporer le lait et la moutarde; verser sur le
pain. Couvrir du restant de fromage cheddar. Cuire à 350°F/180°C,
45 à 50 minutes jusqu'à ce que le mélange soit pris. Laisser reposer
10 minutes avant de servir.

6 portions

Bœuf fumé à la dijonnaise

1 paquet de 8 onces (250 g) de Fromage à la Crème
de MARQUE PHILADELPHIA, coupé en cubes

1/2 tasse (125 ml) de lait

1 cuillérée à table (15 ml) de moutarde de Dijon

1 cuillérée à table (15 ml) de raifort préparé

4 onces (125 g) de bœuf fumé, tranché, haché

7 onces (210 g) de barquettes feuilletées congelées,
cuites

Dans une casserole, mélanger le fromage à la crème, le lait, la
moutarde et le raifort; remuer à feu doux jusqu'à consistance lisse.
Incorporer le bœuf. Servir sur les barquettes feuilletées.

6 portions

◀*Strata jambon fromage*

QUICHE "PHILLY" POUR LE BRUNCH

Pâte pour une abaisse de tarte de 10 pouces (25 cm)

1 paquet de 8 onces (250 g) de Fromage à la Crème de MARQUE PHILADELPHIA, coupé en cubes

1 tasse (250 ml) de lait

4 œufs battus

1/4 de tasse (50 ml) d'oignon haché

1 cuillérée à table (15 ml) de Margarine PARKAY

1 tasse (250 ml) de jambon finement haché

1/4 de tasse (50 ml) de piments hachés

1/4 de cuillérée à thé (1 ml) d'aneth

Une pincée de poivre

Sur une surface légèrement farinée, rouler la pâte en un cercle de 12 pouces (30 cm). Placer sur un plat à tarte de 10 pouces (25 cm). Canneler les bords. Piquer le fond et les côtés de la pâte à l'aide d'une fourchette. Cuire à 400°F/200°C, 12 à 15 minutes ou jusqu'à ce que la pâte soit légèrement dorée.

Mélanger le fromage à la crème et le lait dans une casserole; remuer à feu doux jusqu'à ce que le mélange soit crémeux. Ajouter graduellement le mélange de fromage à la crème aux œufs, bien mélanger. Faire revenir les oignons dans la margarine. Ajouter les oignons et les ingrédients restants au mélange de fromage à la crème; bien mélanger. Verser sur l'abaisse. Cuire à 350°F/180°C, 35 à 40 minutes ou jusqu'à ce que le mélange soit cuit. Garnir de tranches de jambon et d'aneth si désiré.

8 portions

VARIANTES

■ Remplacer l'aneth par 1/4 de tasse (50 ml) de poivrons verts finement hachés.

■ Remplacer le jambon, les piments et l'aneth par 10 onces (300 g) d'épinards hachés, cuits et égouttés, 1 tasse (250 ml) de Fromage Suisse 100% Naturel Râpé KRAFT et 6 tranches de bacon cuit, émiettées.

■ Remplacer le jambon, les piments et l'aneth par 4 onces (125 g) de tranches de pepperoni, haché, 1/4 de tasse (50 ml) de Fromage Parmesan Râpé KRAFT et 1/2 cuillérée à thé (2 ml) d'origan sec, émietté. Placer le pepperoni en premier sur l'abaisse et poursuivre tel qu'indiqué.

Quiche "Philly" pour le brunch ▶

Pain doré aux fraises

1 paquet de 10 onces (300 g) de fraises congelées, décongelées
1/2 tasse (125 ml) de sucre
2 cuillérées à table (25 ml) de fécule de maïs
1/2 tasse (125 ml) d'amandes tranchées, grillées

* * *

1 paquet de 8 onces (250 g) de Fromage à la Crème de MARQUE PHILADELPHIA, ramolli
2 cuillérées à table (25 ml) de sucre
1 cuillérée à thé (5 ml) de vanille
1 pain croûté de 15 x 5 pouces (38 x 13 cm)
6 œufs battus
1/3 de tasse (75 ml) de lait
1/4 de cuillérée à thé (1 ml) de muscade moulue
Margarine PARKAY

Égoutter les fraises, réserver le liquide. Ajouter de l'eau au liquide réservé jusqu'à avoir 1 tasse (250 ml). Mélanger le sucre et la fécule de maïs dans une casserole; peu à peu, ajouter le liquide. Cuire en remuant fréquemment, jusqu'à ce que le mélange soit clair et épaississe. Incorporer les fraises et les amandes.

Bien mélanger le fromage à la crème, le sucre et la vanille. Couper le pain en tranches de 1 1/2 pouce (3 cm). Former une entaille dans chaque tranche. Farcir chaque tranche de 1 cuillérée à table (15 ml) bombée de mélange de fromage à la crème. Tremper chaque tranche de pain dans le mélange d'œuf, de lait et de muscade. Bien griller des deux côtés dans la margarine jusqu'à doré. Servir avec le mélange aux fraises.

10 portions

VARIANTE
■ Remplacer les fraises par 8 1/4 onces (260 g) d'ananas broyés.

STEAK DE FLANC À LA BÉARNAISE

- 1 paquet de 8 onces (250 g) de Fromage à la Crème de MARQUE PHILADELPHIA, coupé en cubes
- 1/4 de tasse (50 ml) de lait
- 1 cuillérée à table (15 ml) d'oignon vert tranché
- 1/2 cuillérée à thé (2 ml) d'estragon sec, émietté
- 2 jaunes d'œufs battus
- 2 cuillérées à table (25 ml) de vin blanc sec
- 1 cuillérée à table (15 ml) de jus de citron
- 1 steak de flanc de bœuf de 1 1/2 livre (750 g)

Dans une casserole, mélanger le fromage à la crème, le lait, les oignons et l'estragon; remuer à feu doux jusqu'à ce que le fromage soit fondu. Incorporer une petite quantité de ce mélange chaud dans les jaunes d'œufs, incorporer les œufs dans le mélange chaud et y incorporer aussi le vin et le jus. Cuire pendant 1 minute à feu doux en remuant sans cesse ou jusqu'à épaississement complet. Faire des incisions sur le steak des deux côtés. Placer sur un gril. Griller des deux côtés jusqu'à la cuisson désirée. En tenant un couteau incliné, couper le steak en tranches minces. Servir avec le mélange de fromage.

6 portions

PÂTES À LA CRÈME PRIMAVERA

- 1/2 tasse (125 ml) d'oignon vert haché
- 1/2 tasse (125 ml) de lamelles de poivrons verts et rouges
- 1 boîte de 4 onces (125 g) de champignons, égouttés
- 1/3 de tasse (75 ml) de Margarine PARKAY
- 1 paquet de 8 onces (250 g) de Fromage à la Crème de MARQUE PHILADELPHIA, coupé en cubes
- 3/4 de tasse (175 ml) de lait
- 2 tasses (500 ml) de jambon coupé en cubes
- 1/3 de tasse (75 ml) de Fromage Parmesan Râpé KRAFT
- 7 onces (210 g) de spaghettis, cuits et égouttés

Faire sauter les légumes dans 1/4 de tasse (50 ml) de margarine. Ajouter le fromage à la crème et le lait; remuer à feu doux jusqu'à ce que le fromage à la crème soit fondu. Incorporer le jambon et le parmesan. Mettre de la margarine sur les spaghettis et remuer. Ajouter le mélange de fromage à la crème; remuer légèrement.

6 portions

SUCCULENTS PLATS D'ACCOMPAGNEMENT

Ragoût savoureux aux épinards en cocotte

1 paquet de 8 onces (250 g) de Fromage à la Crème Léger de MARQUE PHILADELPHIA, ramolli
1/4 de tasse (50 ml) de lait
20 onces (600 g) d'épinards congelés, cuits, égouttés
1/3 de tasse (75 ml) de Fromage Parmesan Râpé KRAFT

Bien mélanger le fromage léger et le lait. À la cuillère, déposer les épinards dans une casserole; garnir de mélange au fromage léger. Saupoudrer de parmesan. Cuire à 350°F/180°C, 20 minutes.

4 à 6 portions

VARIANTE
■ Remplacer le fromage léger par du Fromage à la Crème de MARQUE PHILADELPHIA.

MICRO-ONDES
Préparer le ragoût tel qu'indiqué sauf pour la cuisson. Cuire au micro-ondes à haute température de 4 1/2 à 5 minutes ou jusqu'à ce que le tout soit chaud.

Salade de pommes de terre fraîche et crémeuse

4 tasses (1 L) de pommes de terre cuites, coupé en cubes
1/2 tasse (125 ml) de céleri tranché
1/4 de tasse (50 ml) de poivrons verts tranchés
2 cuillérées à table (25 ml) d'oignon vert tranché
1 cuillérée à thé (5 ml) de sel
1 paquet de 8 onces (250 g) de Fromage à la Crème de MARQUE PHILADELPHIA, ramolli
1/2 tasse (125 ml) de crème sure
2 cuillérées à table (25 ml) de lait

Mélanger les pommes de terre, le céleri, les poivrons verts, l'oignon et le sel; remuer légèrement. Bien mélanger le fromage à la crème, la crème sure et le lait. Incorporer au mélange de pommes de terre; remuer légèrement. Réfrigérer.

6 à 8 portions

Salade de fruits garnie de crème

SALADE DE FRUITS GARNIE DE CRÈME

  1 paquet de 8 onces (250 g) de Fromage à la Crème
     Léger de MARQUE PHILADELPHIA, ramolli
  2 cuillérées à table (25 ml) de jus de citron
  1 cuillérée à thé (5 ml) de zeste de citron
 1/2 tasse (125 ml) de crème à fouetter
 1/4 de tasse (50 ml) de sucre à glacer
  2 tasses (500 ml) de pêches tranchées
  2 tasses (500 ml) de bleuets
  2 tasses (500 ml) de fraises tranchées
  2 tasses (500 ml) de raisins

Bien mélanger le fromage léger, le jus et le zeste. Fouetter la crème jusqu'à la formation de pics mous; ajouter peu à peu le sucre, en fouettant jusqu'à la formation de pics fermes. Incorporer au mélange de fromage léger; réfrigérer. Disposer les fruits en couches dans un plat de service en verre de 2 1/2 pintes (2,5 L). Garnir de mélange de fromage léger. Saupoudrer de noix si désiré. Réfrigérer.

8 portions

VARIANTE
■ Remplacer le fromage léger par du Fromage à la Crème de MARQUE PHILADELPHIA.

SALADE DU JARDIN AU MACARONI

1/4 de tasse (50 ml) de Vraie Mayonnaise KRAFT
1 paquet de 8 onces (250 g) de Fromage à la Crème de MARQUE PHILADELPHIA, ramolli
1/4 de tasse (50 ml) de relish, égouttée
1 cuillérée à table (15 ml) de moutarde pure préparée
2 tasses (500 ml) de macaronis coupés, cuits et égouttés
1 tasse (250 ml) de concombre haché
1/2 tasse (125 ml) de poivron vert haché
1/2 tasse (125 ml) de radis tranchés
2 cuillérées à table (25 ml) d'oignon haché
1/2 cuillérée à thé (2 ml) de sel

Graduellement ajouter la mayonnaise au fromage à la crème, bien mélanger. Incorporer la relish et la moutarde. Ajouter les ingrédients restants, remuer délicatement. À la cuillère, déposer le mélange dans un moule à bord amovible en forme d'anneau de 9 pouces (22 cm) légèrement graissé. Réfrigérer plusieurs heures ou toute une nuit. Démouler. Garnir de tranches de concombre et de radis ciselés si désiré.

6 à 8 portions

VARIANTE
■ Ajouter 1/2 tasse (125 ml) de Fromage Parmesan Râpé KRAFT au mélange de fromage à la crème.

SAUCE À LA CIBOULETTE "PHILLY"

1 paquet 8 onces (250 g) de Fromage à la Crème Léger de MARQUE PHILADELPHIA, coupé en cubes
1/2 tasse (125 ml) de lait
1 cuillérée à table (15 ml) de ciboulette hachée
1 cuillérée à thé (5 ml) de jus de citron
1/4 de cuillérée à thé (1 ml) de sel d'ail

Dans une casserole, mélanger le fromage léger et le lait; cuire à feu doux jusqu'à l'obtention d'un mélange crémeux. Ajouter les ingrédients restants. Servir sur des pommes de terre cuites, chaudes, sur des haricots verts, du brocoli ou des asperges.

11/3 tasse (325 ml)
Salade du jardin au macaroni ▶

76

ASPIC PÉTILLANT AUX CERISES

1 boîte de 17 onces (530 g) de cerises foncées,
    dénoyautées, non égouttées
3 onces (90 g) de gélatine saveur de cerise
1 tasse (250 ml) d'eau bouillante
1 tasse (250 ml) de ginger ale

*   *   *

3 onces (90 g) de gélatine saveur de cerise
1 tasse (250 ml) d'eau bouillante
1 paquet de 8 onces (250 g) de Fromage à la Crème
    de MARQUE PHILADELPHIA, ramolli
    Laitue

Égoutter les cerises, réserver 3/4 de tasse (175 ml) de liquide.
Dissoudre la gélatine dans l'eau bouillante; ajouter le ginger ale.
Refroidir jusqu'à ce que le mélange soit épais mais non pris;
incorporer les cerises. Verser dans un moule de 1 1/2 pinte (1,5 L)
légèrement graissé; réfrigérer jusqu'à ce que le mélange soit presque
ferme.

Dissoudre la gélatine dans l'eau; ajouter le liquide réservé.
Graduellement, ajouter le mélange de gélatine au fromage à la
crème; bien mélanger au fouet électrique à vitesse moyenne. Verser
sur le mélange moulé; réfrigérer jusqu'à ce que le tout soit ferme.
Démouler dans une assiette de service sur un lit de laitue.

6 à 8 portions

ASPIC NECTARINE, SAUCE AUX FRAISES

1 enveloppe de gélatine sans saveur
1/2 tasse (125 ml) d'eau froide
1 paquet de 8 onces (250 g) de Fromage à la Crème
    de MARQUE PHILADELPHIA, ramolli
1/2 tasse (125 ml) de sucre
1/2 tasse (125 ml) de lait
2 cuillérées à table (25 ml) de liqueur à saveur à
    l'orange
1 tasse (250 ml) de crème à fouetter, fouettée
1 nectarine, tranchée

*   *   *

1 pinte (0,5 L) de fraises tranchées
1/4 de tasse (50 ml) de sucre
1 cuillérée à table (15 ml) de liqueur à saveur à l'orange

Dissoudre le gélatine dans l'eau à feu doux jusqu'à dissolution complète. Bien mélanger le fromage à la crème et le sucre. Ajouter peu à peu la gélatine, le lait et la liqueur à saveur à l'orange, bien mélanger. Incorporer la crème fouettée. Verser 1/4 de tasse (50 ml) de ce mélange de fromage à la crème dans un moule de 1 pinte (1 litre) légèrement graissé. Disposer les quartiers de nectarine sur le mélange de fromage à la crème, garnir du mélange restant. Réfrigérer jusqu'à ferme. Démouler sur un plat de service.

Mélanger les fraises, le sucre et la liqueur à saveur à l'orange; laisser reposer 10 minutes. Servir avec l'aspic.

6 à 8 portions

VARIANTE

■ Remplacer la liqueur à l'orange par du jus d'orange. Ajouter 1 cuillérée à thé (5 ml) de zeste d'orange au mélange de fromage à la crème.

FROMAGE À LA CRÈME MOULÉ

1	paquet de 8 onces (250 g) de Fromage à la Crème de MARQUE PHILADELPHIA, ramolli
1/4	de tasse (50 ml) de Margarine PARKAY, fondue
4	œufs battus
1/2	tasse (125 ml) de lait
1/4	de tasse (50 ml) de sucre
1/2	cuillérée à thé (2 ml) de sel
4	tasses (1 L) de pâtes fines, cuites et égouttées
1/2	tasse (125 ml) de raisins secs
1/4	de cuillérée à thé (1 ml) de cannelle

Bien mélanger le fromage à la crème et la margarine. Incorporer les œufs, le lait, le sucre et le sel. Ajouter les pâtes et les raisins secs, bien mélanger. Verser le tout dans un moule de 12 x 8 pouces (30 x 20 cm). Saupoudrer de cannelle. Cuire à 375°F/190°C, 30 minutes ou jusqu'à cuit.

6 à 8 portions

VARIANTE

■ Remplacer les raisins secs par 8 1/4 onces (260 g) d'ananas broyés.

MICRO-ONDES

Suivre la recette tel qu'indiqué sauf pour la cuisson. Cuire au micro-ondes 8 minutes à haute température. Tourner le moule après 4 minutes. Continuer la cuisson à température moyenne (50%) 9 à 12 minutes ou jusqu'à ce que le centre soit cuit.

SALADE DE FRUITS SUPRÊME

1 paquet de 8 onces (250 g) de Fromage à la Crème
   de MARQUE PHILADELPHIA, ramolli
1/4 de tasse (50 ml) de lait
1 cuillérée à table (15 ml) de jus de citron
1/2 cuillérée à thé (2 ml) de zeste de citron
1 tasse (250 ml) de crème à fouetter
1/2 tasse (125 ml) de sucre à glacer
4 tasses (1 L) de pommes tranchées
3 tasses (750 ml) de melon d'hiver en morceaux
3 tasses (750 ml) de raisins verts
1/2 tasse (125 ml) de pacanes hachées

Bien mélanger le fromage à la crème, le lait, le jus et le zeste.
Fouetter la crème jusqu'à la formation de pics mous; graduellement,
ajouter le sucre jusqu'à formation de pics fermes. Incorporer le
mélange de crème fouettée au mélange de fromage à la crème.
Mélanger 1/2 tasse (125 ml) de mélange de fromage à la crème avec
les pommes; remuer délicatement. Dans un bol en verre de 3 pintes
(3 L), superposer le melon d'hiver, le mélange aux pommes et les
raisins. Ajouter le restant du mélange au fromage à la crème;
saupoudrer de pacanes.

12 portions

GRATIN DE POMMES DE TERRE FACILE

1 paquet de 8 onces (250 g) de Fromage à la Crème
   de MARQUE PHILADELPHIA, coupé en cubes
1 1/4 tasse (300 ml) de lait
1/2 cuillérée à thé (2 ml) de sel
1/8 de cuillérée à thé (0,5 ml) de poivre
4 tasses (1 L) de pommes de terre, finement
   tranchées
2 cuillérées à table (25 ml) de ciboulette hachée

Dans une grande casserole, mélanger le fromage à la crème, le lait,
le sel et le poivre; remuer à feu doux jusqu'à ce que le mélange soit
crémeux. Ajouter les pommes de terre et la ciboulette, remuer
délicatement. Déposer à la cuillère dans un plat de 1 1/2 pinte (1,5 L);
couvrir. Cuire à 350°F/180°C, 1 heure et 10 minutes ou jusqu'à ce
que les pommes de terre soient cuites. Remuer avant de servir.

6 portions

PRÉPARATION À L'AVANCE
Suivre la recette ci-dessus, sauf la cuisson. Couvrir. Réfrigérer
toute une nuit. Avant de servir, cuire tel qu'indiqué.

Légumes sautés à feu vif

LÉGUMES SAUTÉS À FEU VIF

1 paquet de 8 onces (250 g) de Fromage à la Crème Léger de MARQUE PHILADELPHIA, coupé en cubes

1/4 de tasse (50 ml) de graines de sésame grillées

2 tasses (500 ml) de carottes coupées en diagonale

2 tasses (500 ml) de tranches de céleri coupé en diagonale

3/4 de tasse (175 ml) de minces lamelles de poivron vert

2 cuillérées à table (25 ml) de Margarine PARKAY

1/4 de cuillérée à thé (1 ml) de sel

Une pincée de poivre

Enrober les cubes de fromage léger de graines de sésame; réfrigérer. Dans un grand poêlon ou un wok, faire sauter les légumes et les assaisonnements à feu vif dans la margarine jusqu'à ce qu'ils soient tendres mais croustillants. Retirer du feu. Ajouter le fromage léger aux légumes; remuer délicatement.

6 à 8 portions

VARIANTE
■ Remplacer le fromage léger par du Fromage à la Crème de MARQUE PHILADELPHIA.

CHAUDRÉE AUX CREVETTES

1/2 tasse (125 ml) de céleri tranché

1/3 de tasse (75 ml) d'oignon haché

2 cuillérées à table (25 ml) de Margarine PARKAY

1 paquet de 8 onces (250 g) de Fromage à la Crème de MARQUE PHILADELPHIA, coupé en cubes

1 tasse (250 ml) de lait

1 1/2 tasse (375 ml) de pommes de terre cuites, coupées en cubes

6 onces (180 g) de crevettes miniatures congelées, décongelées et égouttées

2 cuillérées à table (25 ml) de vin blanc sec

1/2 cuillérée à thé (2 ml) de sel

Faire revenir le céleri et l'oignon dans la margarine. Ajouter le fromage à la crème et le lait; remuer à feu doux jusqu'à ce que le fromage à la crème soit fondu. Ajouter les ingrédients restants, cuire à feu vif, remuer à l'occasion.

Environ quatre portions de 1 tasse (250 ml)

RIZ PILAF CRÉMEUX

2 cubes de bouillon de bœuf

2 1/4 tasses (550 ml) d'eau bouillante

1 tasse (250 ml) de riz

1 tasse (250 ml) de carottes tranchées

2 cuillérées à table (25 ml) d'oignon vert tranché

1 cuillérée à table (15 ml) de Margarine PARKAY

1/2 cuillérée à thé (2 ml) d'aneth

1 paquet de 8 onces (250 g) de Fromage à la Crème de MARQUE PHILADELPHIA, coupé en cubes

2 cuillérées à table (25 ml) de Vraie Mayonnaise KRAFT

Dans une casserole, dissoudre le bouillon dans l'eau bouillante; ajouter le riz, les légumes, la margarine et l'aneth. Couvrir; laisser mijoter 20 minutes ou jusqu'à ce que le riz soit tendre et l'eau complètement absorbée. Retirer du feu. Ajouter le fromage à la crème et la mayonnaise; remuer jusqu'à ce que le fromage à la crème soit fondu.

6 portions

Chaudrée aux crevettes ▶

Courges farcies

COURGES FARCIES

1/4 de tasse (50 ml) d'amandes tranchées

1 cuillérée à table (15 ml) de Margarine PARKAY

1 paquet de 8 onces (250 g) de Fromage à la Crème Léger de MARQUE PHILADELPHIA, coupé en cubes

3/4 de tasse (175 ml) de lait

1 paquet de 10 onces (300 g) de haricots verts congelés, cuits et égouttés

1/2 tasse (125 ml) de chataignes d'eau, tranchées

1 1/2 cuillérée à thé (7 ml) de jus de citron

1/2 cuillérée à thé (2 ml) de moutarde sèche

1/4 de cuillérée à thé (1 ml) de gingembre moulu

1/4 de cuillérée à thé (1 ml) de sel

2 courges (à la moelle ou autre) cuites au four, coupées en deux

(suite)

Dans un poêlon, faire sauter les amandes dans la margarine jusqu'à ce qu'elles soient légèrement grillées. Ajouter le fromage léger et le lait; remuer à feu doux jusqu'à ce que le fromage léger soit fondu. Incorporer les ingrédients restants sauf la courge; bien cuire en remuant à l'occasion. Déposer à la cuillère le mélange de légumes dans les courges chaudes.

4 portions

NOTE

Pour la cuisson des courges: les couper en deux dans le sens de la longueur; évider, placer le côté coupé en bas dans un moule de 13 x 9 pouces (33 x 22 cm). Verser 1/2 pouce (1 cm) d'eau chaude. Cuire au four à 375°F/190°C, 45 à 55 minutes jusqu'à ce qu'elles soient tendres.

VARIANTE

■ Supprimer les courges. Préparer les légumes tel qu'indiqué. À la cuillère, verser le mélange de légumes sur 4 tasses (1 L) de pâtes cuites, chaudes.

SALADE ÉTAGÉE EXTRAORDINAIRE

1   paquet de 8 onces (250 g) de Fromage à la Crème Léger de MARQUE PHILADELPHIA, ramolli
3/4 de tasse (175 ml) de fromage bleu, émietté
1/4 de tasse (50 ml) de Mayonnaise Légère Réduite en Calories KRAFT
1/4 de tasse (50 ml) de lait
2   cuillérées à table (25 ml) de jus de citron
1   cuillérée à table (15 ml) de ciboulette hachée

* * *

8   tasses (2 L) de salade verte mélangée
1   tasse (250 ml) de carottes râpées
2 1/2 tasses (625 ml) de jambon, coupé en cubes
1   tasse (250 ml) de poivron vert haché
2   tasses (500 ml) de tomates coupées en quartiers

Bien mélanger le fromage léger et le fromage bleu. Ajouter la mayonnaise, le lait, le jus et la ciboulette; bien mélanger.

Mélanger la salade verte et les carottes. Mélanger le jambon et le poivron vert. Dans un bol de 3 pintes (3 L), déposer en couches la salade verte, les tomates et le mélange de jambon. Étendre le mélange de fromage sur le jambon pour sceller. Couvrir. Réfrigérer plusieurs heures.

8 portions

DES PAINS À
PROFUSION

PAIN FAVORI AUX BANANES

1 paquet de 8 onces (250 g) de Fromage à la Crème de MARQUE PHILADELPHIA, ramolli

1 tasse (250 ml) de sucre

1/4 de tasse (50 ml) de Margarine PARKAY

1 tasse (250 ml) de bananes mûres écrasées

2 œufs

2 1/4 tasses (550 ml) de farine

1 1/2 cuillérée à thé (7 ml) de poudre à pâte

1/2 cuillérée à thé (2 ml) de bicarbonate de soude

1 tasse (250 ml) de noix hachées

Bien mélanger le fromage à la crème, le sucre et la margarine. Incorporer les bananes et les œufs. Ajouter les ingrédients restants ensemble, le mélange doit être humidifié. Verser dans un moule à pain de 9 x 5 pouces (22 x 12 cm) graissé et fariné. Cuire à 350°F/180°C, 1 heure et 10 minutes ou jusqu'à ce qu'un cure-dent inséré au centre en ressorte propre. Laisser refroidir 5 minutes; démouler. Servir avec du fromage à la crème si désiré.

1 pain

BRIOCHES AU FROMAGE

1 boîte de 5 onces (150 g) de petits pains feuilletés au lait de beurre réfrigérés

Fromage à la Crème de MARQUE PHILADELPHIA Tartinable à l'Ananas

Flocons de noix de coco

Séparer la pâte en cinq parties. Faire une entaille au centre de chaque petit pain; farcir de 1 cuillérée à table (15 ml) de fromage à la crème. Saupoudrer de noix de coco. Cuire à 375°F/190°C, 12 à 15 minutes ou jusqu'à ce que les pains soient dorés. Servir chaud.

5 portions

VARIANTE

■ Remplacer le fromage à la crème à l'ananas par du Fromage à la Crème de MARQUE PHILADELPHIA Velouté. Supprimer la noix de coco. Saupoudrer de sucre à la cannelle après cuisson.

GÂTEAU AUX PRUNEAUX ET AUX NOIX

$3/4$ de tasse (175 ml) d'eau

1 cuillérée à table (15 ml) de jus de citron

$1^1/2$ tasse (375 ml) de pruneaux dénoyautés

1 paquet de 8 onces (250 g) de Fromage à la Crème de MARQUE PHILADELPHIA, ramolli

1 tasse (250 ml) de sucre

$1/2$ tasse (125 ml) de Margarine PARKAY

2 œufs

1 cuillérée à thé (5 ml) de vanille

$1^3/4$ tasse (425 ml) de farine

1 cuillérée à thé (5 ml) de poudre à pâte

$1/2$ cuillérée à thé (2 ml) de bicarbonate de soude

$1/4$ de cuillérée à thé (1 ml) de sel

$1/4$ de tasse (50 ml) de lait

$1/2$ tasse (125 ml) de noix hachées

*   *   *

1 tasse (250 ml) de sucre à glacer

1 à 2 cuillérées à table (15 à 25 ml) de lait

Dans le verre du mélangeur, mettre l'eau, le jus et les pruneaux. Couvrir, mélanger jusqu'à homogénéité.

Bien mélanger le fromage à la crème, le sucre et la margarine. Incorporer les œufs et la vanille. Ajouter les ingrédients secs mélangés en alternance avec le lait; bien mélanger après chaque ajout. Étendre 2 tasses (500 ml) de pâte dans un moule de 13 x 9 pouces (33 x 22 cm) graissé et fariné. Couvrir la pâte du mélange de pruneaux; étendre délicatement la pâte restante par dessus. Saupoudrer de noix. Cuire à 350°F/180°C, 50 minutes. Laisser refroidir.

Bien mélanger le sucre à glacer et le lait. En enduire le gâteau.

12 portions

PAIN À LA CITROUILLE ET AU FROMAGE

2^1/$_2$ tasses (625 ml) de sucre
1 paquet de 8 onces (250 g) de Fromage à la Crème de MARQUE PHILADELPHIA, ramolli
^{1}/$_2$ tasse (125 ml) de Margarine PARKAY
4 œufs
16 onces (500 g) de citrouille en conserve
3^1/$_2$ tasses (875 ml) de farine
2 cuillérées à thé (10 ml) de bicarbonate de soude
1 cuillérée à thé (5 ml) de sel
1 cuillérée à thé (5 ml) de cannelle
^{1}/$_2$ cuillérée à thé (2 ml) de poudre à pâte
^{1}/$_4$ de cuillérée à thé (1 ml) de clous de girofle moulus
1 tasse (250 ml) de noix hachées

Bien mélanger le sucre, le fromage à la crème et la margarine au fouet électrique à vitesse moyenne. Ajouter les œufs, un à un, bien mélanger après chaque ajout. Incorporer la citrouille. Ajouter les ingrédients secs mélangés, jusqu'à ce que le mélange soit humidifié. Incorporer les noix. Verser dans 2 moules à pain de 9 x 5 pouces (22 x 12 cm) graissés et farinés. Cuire à 350°F/180°C, 1 heure ou jusqu'à ce qu'un cure-dent inséré au centre en ressorte propre. Laisser refroidir 5 minutes; démouler.

2 pains

BEIGNETS

1 paquet de 8 onces (250 g) de Fromage à la Crème de MARQUE PHILADELPHIA, ramolli
^{1}/$_3$ de tasse (75 ml) de Margarine PARKAY
1 tasse (250 ml) de farine
Une pincée de sel
Sucre

Bien mélanger le fromage à la crème et la margarine. Incorporer la farine et le sel; bien mélanger. Avec la pâte former une boule; réfrigérer 1 heure. Sur une surface légèrement farinée, rouler la pâte en forme de rectangle de 12 x 6 pouces (30 x 15 cm). Couper la pâte en 24 bandes de ^{1}/$_2$ pouce (1 cm). Frire dans l'huile chaude à 375°F/190°C, 1 à 2 minutes jusqu'à ce que la pâte soit dorée. Tourner une fois avec des pincettes. Égoutter sur une serviette en papier. Rouler dans le sucre.

2 douzaines
Pain à la citrouille et au fromage ▶

Gâteau abricoté

GÂTEAU ABRICOTÉ

 1 paquet de 8 onces (250 g) de Fromage à la Crème
    de MARQUE PHILADELPHIA, ramolli

1/2 tasse (125 ml) de Margarine PARKAY

1 1/4 tasse (300 ml) de sucre

1/4 de tasse (50 ml) de lait

 2 œufs

 1 cuillérée à thé (5 ml) de vanille

1 3/4 tasse (425 ml) de farine

 1 cuillérée à thé (5 ml) de poudre à pâte

1/2 cuillérée à thé (2 ml) de bicarbonate de soude

1/4 de cuillérée à thé (1 ml) de sel

10 onces (300 g) de Conserves d'Abricots
    ou de Pêches KRAFT

*   *   *

 2 tasses (500 ml) de flocons de noix de coco

2/3 de tasse (150 ml) de cassonade tassée

 1 cuillérée à thé (5 ml) de cannelle

1/3 de tasse (75 ml) de Margarine PARKAY, fondue

(suite)

Bien mélanger le fromage à la crème, le sucre et la margarine au fouet électrique à vitesse moyenne. Ajouter le lait peu à peu, bien remuer après chaque ajout. Incorporer les œufs et la vanille. Ajouter les ingrédients secs au mélange de fromage à la crème; bien mélanger. Verser la moitié de la pâte dans un moule de 13 x 9 pouces (33 x 22 cm). Parsemer des conserves; couvrir de la pâte restante. Cuire à 350°F/180°C, 35 à 40 minutes jusqu'à ce qu'un cure-dent inséré au centre en ressorte propre.

Bien mélanger la noix de coco, la cassonade, la cannelle et la margarine. Étendre sur le gâteau, griller 3 à 5 minutes ou jusqu'à doré.

16 portions

TOURBILLON AUX FRUITS

1 paquet de 8 onces (250 g) de Fromage à la Crème de MARQUE PHILADELPHIA, ramolli
1 tasse (250 ml) de sucre
1/2 tasse (125 ml) de Margarine PARKAY
2 œufs
1/2 cuillérée à thé (2 ml) de vanille
1 3/4 tasse (425 ml) de farine
1 cuillérée à thé (5 ml) de poudre à pâte
1/2 cuillérée à thé (2 ml) de bicarbonate de soude
1/4 de cuillérée à thé (1 ml) de sel
1/4 de tasse (50 ml) de lait
1/2 tasse (125 ml) de Conserves aux Framboises KRAFT

Bien mélanger le fromage à la crème, le sucre et la margarine. Incorporer les œufs un à la fois, bien mélanger après chaque ajout. Incorporer la vanille. Ajouter les ingrédients secs mélangés, en alternance avec le lait, bien mélanger après chaque ajout. Verser dans un moule de 13 x 9 pouces (33 x 22 cm) graissé et fariné; parsemer des conserves. Avec un couteau, faire des entailles dans la pâte plusieurs fois pour obtenir un effet marbré. Cuire à 350°F/180°C, 35 minutes.

12 portions

TRÉSORS DE MUFFINS AU SON

1^1/4 tasse (300 ml) de céréale de son
1 tasse (250 ml) de lait
1/4 de tasse (50 ml) d'huile
1 œuf battu
1^1/4 tasse (300 ml) de farine
1/2 tasse (125 ml) de sucre
1 cuillérée à table (15 ml) de poudre à pâte
1/2 cuillérée à thé (2 ml) de sel
1/2 tasse (125 ml) de raisins secs

* * *

1 paquet de 8 onces (250 g) de Fromage à la Crème
de MARQUE PHILADELPHIA, ramolli
1/4 de tasse (50 ml) de sucre
1 œuf battu

Mélanger le céréale de son et le lait; laisser reposer 2 minutes.
Ajouter l'huile et l'œuf; bien mélanger. Incorporer tous les
ingrédients secs jusqu'à humidification. Ensuite, incorporer les
raisins secs. Déposer à la cuillère dans un moule à muffins moyen
graissé et fariné. Remplir chaque division aux 2/3.

Bien mélanger le fromage à la crème, le sucre et l'œuf. Verser une
cuillérée à table (15 ml) bombée de ce mélange de fromage à la
crème sur la pâte. Cuire à 375°F/190°C, 25 minutes.

1 douzaine

SCONES AUX RAISINS SECS

1 paquet de 8 onces (250 g) de Fromage à la Crème
de MARQUE PHILADELPHIA, ramolli
1/2 tasse (125 ml) de sucre
1/3 de tasse (75 ml) de raisins secs
1 cuillérée à thé (5 ml) de zeste de citron

* * *

3 tasses (750 ml) de farine
1 cuilléree à table (15 ml) de poudre à pâte
1 cuillérée à thé (7 ml) de sel
1/2 tasse (125 ml) de Margarine PARKAY
1 tasse (250 ml) de lait
Miel

(suite)

94

Bien mélanger le fromage à la crème et le sucre. Ajouter les raisins secs et le zeste; bien mélanger.

Mélanger les ingrédients secs, incorporer la margarine jusqu'à formation de gros grumeaux. Ajouter le lait. Diviser la pâte en deux. Sur une surface légèrement farinée, rouler chaque moitié en forme de rectangle de 12 x 9 pouces (30 x 22 cm). Sur un des rectangles, étendre la garniture au fromage à la crème; couvrir de l'autre rectangle de pâte. Couper en 12 carrés de 3 pouces (7,5 cm); couper chaque carré en diagonale. Placer sur une plaque à biscuits non graissée. Cuire à 425°F/220°C, 12 à 15 minutes ou jusqu'à ce que les petits pains soient légèrement dorés. Enduire de miel.

2 douzaines

GÂTEAU SAUPOUDRÉ À LA CANNELLE

$1/2$ tasse (125 ml) de noix hachées

$1/3$ de tasse (75 ml) de cassonade tassée

$1/4$ de tasse (50 ml) de farine

$1/2$ cuillérée à thé (2 ml) de cannelle

$1/4$ de tasse (50 ml) de Margarine PARKAY

* * *

1 paquet de 8 onces (250 g) de Fromage à la Crème de MARQUE PHILADELPHIA, ramolli

1 tasse (250 ml) de sucre

$1/2$ tasse (125 ml) de Margarine PARKAY

2 œufs

1 cuillérée à thé (5 ml) de vanille

$1^3/4$ tasse (425 ml) de farine

1 cuillérée à thé (5 ml) de poudre à pâte

$1/2$ cuillérée à thé (2 ml) de bicarbonate de soude

$1/4$ de cuillérée à thé (1 ml) de sel

$1/4$ de tasse (50 ml) de lait

Mélanger les noix, la cassonade, la farine et la cannelle; incorporer la margarine jusqu'à ce que le mélange soit grumeleux.

Bien mélanger le fromage à la crème, le sucre et la margarine à l'aide d'un fouet électrique à vitesse moyenne. Incorporer les œufs et la vanille. Ajouter les ingrédients secs ensemble en alternance avec le lait; bien mélanger après chaque ajout. Verser la pâte dans un moule de 13 x 9 pouces (33 x 22 cm) graissé et fariné. Parsemer de noix. Cuire à 350°F/180°C, 30 minutes ou jusqu'à ce qu'un cure-dent inséré au centre en ressorte propre.

12 portions

COURONNE À L'ORANGE CRÉMEUSE

1 paquet de 8 onces (250 g) de Fromage à la Crème de MARQUE PHILADELPHIA, ramolli

1/2 tasse (125 ml) de sucre

1 cuillérée à table (15 ml) de zeste d'orange

2 boîtes de 8 onces (235 g) de Croissants Rapides Réfrigérés PILLSBURY

1/3 de tasse (75 ml) d'amandes hachées

*   *   *

1/2 tasse (125 ml) de sucre à glacer

1 cuillérée à table (15 ml) de jus d'orange

Bien mélanger le fromage à la crème, le sucre et le zeste. Dérouler la pâte sur une surface légèrement farinée. Superposer deux des longueurs des rectangles pour former un grand rectangle de 13 x 7 pouces (33 x 17 cm). Presser les bords ensemble pour sceller. Étendre sur le grand rectangle la moité du mélange de fromage à la crème. Parsemer de la moitié des amandes. Rouler la pâte en commençant par un des grands côtés, en pressant les bords au fur et à mesure pour sceller. Former un anneau, mettre la couture dessous. Déposer sur une plaque à biscuits graissée. Presser les extrémités pour sceller ensemble. Couper dans la couronne, de l'extérieur vers l'intérieur, aux 2/3 de l'épaisseur, à intervalles de 1 pouce (2,5 cm) en laissant le centre intact. Rabattre les languettes coupées. Cuire à 375°F/190°C, 15 minutes.

Mélanger le sucre à glacer et le jus. Verser sur la couronne chaude. Garnir de moitiés de cerises au marasquin et d'amandes additionnelles si désiré.

12 portions

Couronne à l'orange crémeuse ▶

KOLACHY

4 1/2 à 4 3/4 de tasses (1L à 1,2 L) de farine
1/2 tasse (125 ml) de sucre
2 paquets de levure sèche active
1 cuillérée à thé (5 ml) de sel
3/4 de tasse (175 ml) de lait
1/2 tasse (125 ml) de Margarine PARKAY
3 œufs
1/2 cuillérée à thé (2 ml) de zeste de citron
Garniture au fromage à la crème ou aux pruneaux

Dans un grand bol, mélanger 1 tasse (250 ml) de farine, le sucre, la levure et le sel. Chauffer le lait et la margarine à feu doux. Ajouter au mélange de farine; battre 3 minutes à vitesse moyenne au fouet électrique. Ajouter 1/2 tasse (125 ml) de farine, les œufs et le zeste; battre 2 minutes à grande vitesse. Ajouter suffisamment de farine pour former une pâte lisse. Sur une surface légèrement farinée, pétrir la pâte (env. 5 minutes) pour qu'elle soit moelleuse et élastique. Placer dans un bol beurré; badigeonner de margarine fondue. Couvrir. Laisser monter pour atteindre le double du volume, dans un endroit chaud, environ 1 1/2 heure. Pétrir la pâte légèrement; la diviser en deux. Couvrir, laisser reposer 10 minutes. Former 12 boules de pâte avec chacune des moitiés. Mettre sur une plaque à biscuits à 3 pouces (7,5 cm) d'intervalle; aplatir en rondelles de 3 pouces (7,5 cm). Couvrir; laisser monter jusqu'au double du volume, environ 45 minutes. Percer le centre; remplir d'une cuillérée à table (15 ml) bombée de garniture de fromage à la crème ou aux pruneaux. Cuire à 375°F/190°C, 8 à 10 minutes jusqu'à ce que la pâte soit dorée. Retirer de la plaque. Saupoudrer de sucre à glacer tamisé si désiré.

2 douzaines

GARNITURE AU FROMAGE À LA CRÈME

1 paquet de 8 onces (250 g) de Fromage à la Crème de MARQUE PHILADELPHIA, ramolli
1/4 de tasse (50 ml) de sucre
1 œuf
1/4 de cuillérée à thé (1 ml) de zeste d'orange

Bien mélanger le fromage à la crème avec tous les autres ingrédients.

GARNITURE AUX PRUNEAUX

2 tasses (500 ml) de pruneaux dénoyautés
1/3 de tasse (75 ml) de sucre
2 cuillérées à thé (10 ml) de jus de citron
1/2 cuillérée à thé (2 ml) de cannelle

Couvrir d'eau les pruneaux, amener à ébullition 10 minutes; égoutter, couper. Bien mélanger les pruneaux et les ingrédients restants.

CROUSTILLANT AUX BRISURES DE CHOCOLAT

1/2 tasse (125 ml) de cassonade tassée
1/2 tasse (125 ml) de farine
1/4 de tasse (50 ml) de Margarine PARKAY
1 tasse (250 ml) de brisures de chocolat mi-sucré
1/4 de tasse (50 ml) de noix

*   *   *

1 paquet de 8 onces (250 g) de Fromage à la Crème de MARQUE PHILADELPHIA, ramolli
1 1/2 tasse (375 ml) de sucre
3/4 de tasse (175 ml) de Margarine PARKAY
3 œufs battus
3/4 de cuillérée à thé (3 ml) de vanille
2 1/2 tasses (625 ml) de farine
1 1/2 cuillérée à thé (7 ml) de poudre à pâte
3/4 de cuillérée à thé (3 ml) de bicarbonate de soude
1/4 de cuillérée à thé (1 ml) de sel
3/4 de tasse (175 ml) de lait

Mélanger la cassonade et la farine; ajouter la margarine jusqu'à ce que le mélange ait une apparence grumeleuse. Ajouter les noix et les brisures de chocolat.

Bien mélanger à vitesse moyenne au fouet électrique le fromage à la crème, le sucre et la margarine, jusqu'à consistance lisse. Ajouter les œufs et la vanille. Incorporer les ingrédients secs en alternance avec le lait, bien mélanger après chaque ajout. À la cuillère, verser le mélange dans un moule graissé et fariné de 13 x 9 pouces (33 x 22 cm). Parsemer du mélange à l'apparence grumeleuse. Cuire à 350°F/180°C, 50 minutes ou jusqu'à ce qu'un cure-dent inséré au centre en ressorte propre. Laisser refroidir.

12 à 16 portions

GÂTEAU AUX BLEUETS ET AU FROMAGE

1/2 tasse (125 ml) de Margarine PARKAY
1 1/4 tasse (300 ml) de sucre
 2 œufs
2 1/4 tasses (550 ml) de farine
 1 cuillérée à table (15 ml) de poudre à pâte
 1 cuillérée à thé (5 ml) de sel
3/4 de tasse (175 ml) de lait
1/4 de tasse (50 ml) d'eau
 2 tasses (500 ml) de bleuets
 1 paquet de 8 onces (250 g) de Fromage à la Crème de MARQUE PHILADELPHIA, coupé en cubes
 1 cuillérée à thé (5 ml) de zeste de citron

* * *

1/4 de tasse (50 ml) de sucre
1/4 de tasse (50 ml) de farine
 1 cuillérée à thé (5 ml) de zeste de citron
 2 cuillérées à table (25 ml) de Margarine PARKAY
 Sucre à glacer

Battre la margarine et le sucre jusqu'à consistance légère et crémeuse. Ajouter les œufs, un à la fois, bien battre après chaque ajout. Ajouter mélangés ensemble, 2 tasses (500 ml) de farine, la poudre à pâte et le sel alternativement avec le lait et l'eau mélangés. Bien battre après chaque ajout. Enrober les bleuets de la farine restante et les ajouter au mélange avec le fromage à la crème et le zeste de citron. Verser dans un moule beurré et fariné de 13 x 9 pouces (33 x 22 cm).

Mélanger le sucre, la farine et le zeste; ajouter la margarine jusqu'à ce que le mélange ait une apparence grumeleuse. Étaler sur la pâte. Cuire à 375°F/190°C, 1 heure. Refroidir. Saupoudrer de sucre à glacer avant de servir.

12 portions

VARIANTE
■ Remplacer les bleuets frais par 2 tasses (500 ml) de bleuets congelés, décongelés, bien égouttés.

MUFFINS AUX CANNEBERGES GLACÉS À L'ORANGE

 2 tasses (500 ml) de farine
 6 cuillérées à table (100 ml) de sucre
 2 cuillérées à thé (10 ml) de poudre à pâte
 1/2 cuillérée à thé (2 ml) de sel
 3/4 de tasse (175 ml) de lait
 1/2 tasse (125 ml) de Margarine PARKAY, fondue
 1 œuf battu
 3/4 de tasse (175 ml) de canneberges grossièrement
     hachées

*   *   *

 1 paquet de 8 onces (250 g) de Fromage à la Crème
     de MARQUE PHILADELPHIA, ramolli
 1 cuillérée à table (15 ml) de sucre
 1 cuillérée à table (15 ml) de jus d'orange
 1 cuillérée à thé (5 ml) de zeste d'orange

Bien mélanger la farine, 4 cuillérées à table (50 ml) de sucre, la poudre à pâte et le sel. Ajouter, ensemble, le lait, la margarine et l'œuf. Mélanger jusqu'à humidifié. Ajouter le sucre restant et les canneberges. Mettre dans un moule à muffins graissé en remplissant les divisions aux 2/3. Cuire à 400°F/200°C, 20 à 25 minutes ou jusqu'à doré.

Bien mélanger le fromage à la crème, le sucre, le jus d'orange et le zeste. Réfrigérer. Servir avec les muffins.

1 douzain

VARIANTE
■ Remplacer le fromage à la crème par du Fromage à la Crème Léger de MARQUE PHILADELPHIA.

DES DESSERTS À DÉCOUVRIR

TOURTE DES FÊTES AUX CANNEBERGES

1 paquet de 8 onces (250 g) de Fromage à la Crème
de MARQUE PHILADELPHIA, ramolli

1/4 de tasse (50 ml) de sucre

1/2 tasse (125 ml) de crème à fouetter, fouettée

1 gâteau congelé de 10 3/4 onces (325 g), décongelé

14 onces (420 g) de sauce aux canneberges/oranges

Bien mélanger le fromage à la crème et le sucre. Ajouter la crème
fouettée. Couper le gâteau horizontalement en quatre tranches.
Tartiner la tranche du bas de 1/2 tasse (125 ml) de sauce
canneberges/oranges; couvrir avec la seconde tranche. Tartiner cette
seconde tranche de 2/3 de tasse (150 ml) du mélange de fromage à
la crème; recouvrir de la troisième tranche. Tartiner cette troisième
tranche de 1/2 tasse (125 ml) de sauce canneberges/oranges.
Recouvrir le tout avec la tranche du dessus. Enduire le dessus et les
côtés de la tourte du reste du mélange de fromage à la crème.
Réfrigérer plusieurs heures ou toute une nuit. Garnir le dessus du
gâteau du reste de sauce canneberges/oranges au moment de servir.
Garnir de canneberges entières et de feuilles de menthe si désiré.

10 à 12 portions

FRIANDISES CHOCOLATÉES AUX ARACHIDES

1 contenant de 8 onces (250 g) de Fromage à la
Crème de MARQUE PHILADELPHIA Tartinable

1/2 tasse (125 ml) de beurre d'arachides

1 paquet de 6 onces (180 g) de chocolat mi-sucré en
morceaux, fondu

2 1/4 tasses (550 ml) de chapelure de biscuits graham

2/3 de tasse (150 ml) d'arachides finement hachées

Bien mélanger le fromage à la crème et le beurre d'arachides.
Ajouter le chocolat et remuer vigoureusement. Ajouter la chapelure
de biscuits graham et bien mélanger. Former des boules de 1 pouce
(2,5 cm). Les rouler dans les arachides. Réfrigérer.

4 douzaines

VARIANTE

■ Supprimer les arachides. Préparer les boules tel qu'indiqué.
Les rouler dans du sucre à glacer au moment de servir.

◀ *Tourte des fêtes aux canneberges*

Tourte "Philly" au chocolat

1 paquet de 8 onces (250 g) de Fromage à la Crème
de MARQUE PHILADELPHIA, ramolli

1/4 de tasse (50 ml) de Margarine PARKAY

1 tasse (250 ml) de sucre

2 œufs

1/2 cuillérée à thé (2 ml) de vanille

1 1/2 tasse (375 ml) de farine

1 cuillérée à thé (5 ml) de bicarbonate de soude

1/2 cuillérée à thé (2 ml) de poudre à pâte

1/2 tasse (125 ml) de lait

2 carrés de 1 once (30 g) de chocolat non sucré,
fondu

Glaçages crémeux "PHILLY"

Mélanger le fromage à la crème, la margarine et le sucre. Bien
mélanger jusqu'à homogénéité. Ajouter les œufs et la vanille. Ajouter
les ingrédients secs mélangés en alternance avec le lait. Bien
mélanger après chaque ajout. Ajouter le chocolat. Verser le mélange
uniformément sur une plaque à gâteau roulé de 15 x 10 x 1 pouces
(38 x 25 x 2,5 cm) doublée d'un papier ciré. Cuire à 350°F/180°C,
12 à 15 minutes ou jusqu'à ce qu'un cure-dent inséré au centre en
ressorte propre. Bien refroidir. Couper en 4 parts égales; démouler.
Tartiner 3 parts de glaçage crémeux aux amandes. Réfrigérer jusqu'à
ce que le glaçage soit ferme. Empiler les 3 parts les une sur les
autres. Ajouter la quartrième part sur le dessus et recouvrir de
glaçage au chocolat.

12 portions

GLAÇAGES CRÉMEUX "PHILLY"

1 paquet de 8 onces (250 g) de Fromage à la Crème
de MARQUE PHILADELPHIA, ramolli

6 1/2 tasses (1,6 L) de sucre à glacer, tamisé

1/2 tasse (125 ml) de crème à fouetter

1/2 tasse (125 ml) d'amandes broyées, grillées

2 carrés de 1 once (30 g) de chocolat non sucré,
fondu

Battre le fromage à vitesse moyenne au fouet électrique. Ajouter
graduellement 5 tasses (1,3 L) de sucre; bien mélanger après chaque
ajout. Ajouter la crème à fouetter. Battre à grande vitesse jusqu'à
consistance crémeuse. Diviser le mélanger en deux parties. Ajouter le
sucre restant et les amandes à l'une des parties, bien mélanger.
Incorporer le chocolat dans la deuxième partie. Réfrigérer la partie
contenant du chocolat jusqu'à ce qu'elle soit assez ferme pour être
tartinée.

Nuages aux fruits "Philly"

NUAGES AUX FRUITS "PHILLY"

1 paquet de 8 onces (250 g) de Fromage à la Crème de MARQUE PHILADELPHIA, ramolli

1/2 tasse (125 ml) de sucre

1 cuillérée à thé (5 ml) de jus de citron

2 cuillérées à thé (10 ml) de zeste de citron

1 tasse (250 ml) de crème à fouetter, fouettée

Fruits assortis

Bien mélanger le fromage à la crème, le sucre, le jus et le zeste. Incorporer la crème fouettée. Avec le dos d'une cuillère, former dix coquilles sur une grande plaque à biscuits doublée de papier ciré. Congeler. Garnir chaque coquille de fruits. Décorer de feuilles de menthe fraîche si désiré.

10 portions

VARIANTES

■ Préparer le mélange de fromage à la crème tel qu'indiqué. Mettre dans un moule carré de 8 pouces (20 cm). Congeler. Couper en carrés, garnir de fruits.

■ Remplacer le fromage à la crème par du Fromage à la Crème Léger de MARQUE PHILADELPHIA.

BISCUITS À L'ABRICOT "PHILLY"

1¹/2 tasse (375 ml) de Margarine PARKAY
1¹/2 tasse (375 ml) de sucre
1 paquet de 8 onces (250 g) de Fromage à la Crème
de MARQUE PHILADELPHIA, ramolli
2 œufs
2 cuillérées à table (25 ml) de jus de citron
1¹/2 cuillérée à thé (7 ml) de zeste de citron
4¹/2 tasses (1,1 L) de farine
1¹/2 cuillérée à thé (7 ml) de poudre à pâte
Conserves d'Abricots KRAFT
Sucre à glacer

Bien mélanger la margarine, le sucre et le fromage à la crème.
Ajouter les œufs, le jus et le zeste de citron. Ajouter la farine et la
poudre à pâte mélangées. Bien mélanger. Réfrigérer plusieurs heures.
Faire des boulettes de la grosseur d'une cuillère à table (15 ml).
Placer sur une plaque à biscuits non graissée. Aplanir légèrement.
Creuser au centre, fourrer de conserves. Cuire à 350°F/180°C,
15 minutes. Laisser refroidir, saupoudrer de sucre à glacer.

Environ 7 douzaines

POUDING "PHILLY" À LA BANANE

12 gaufrettes à la vanille
1 contenant de 8 onces (250 g) de Fromage à la
Crème de MARQUE PHILADELPHIA Tartinable
2 cuillérées à table (25 ml) de lait
2 cuillérées à table (25 ml) de sucre
1 cuillérée à thé (5 ml) de vanille
2 tasses (500 ml) de garniture fouettée congelée,
décongelée
2 bananes moyennes, tranchées

Foncer (côtés et fond) un bol de 1 pinte (1 L) avec les gaufrettes.
Bien mélanger le fromage à la crème, le lait, le sucre et la vanille.
Ajouter les ingrédients restants. Mettre dans le bol à la cuillère.
Réfrigérer.

6 portions

Haut: Tartelettes aux pacanes (voir la page 110)
Centre: Fudge "Philly" au chocolat (voir la page 110)
Bas: Biscuits "Philly" à l'abricot ▶

Fudge "Philly" au chocolat

4 tasses (1 L) de sucre à glacer, tamisé
1 paquet de 8 onces (250 g) de Fromage à la Crème
de MARQUE PHILADELPHIA, ramolli
4 carrés de 1 once (30 g) de chocolat non sucré,
fondu
1 cuillérée à thé (5 ml) de vanille
Une pincée de sel
1/2 tasse (125 ml) de noix hachées

Ajouter peu à peu le sucre au fromage à la crème, bien mélanger après chaque ajout. Ajouter tous les ingrédients restants; bien mélanger. Mettre dans un moule carré de 8 pouces (20 cm). Réfrigérer plusieurs heures. Couper en carrés.

1 3/4 livre (875 g)

VARIANTES
■ Supprimer les noix et la vanille; ajouter quelques gouttes d'extrait de menthe (peppermint) et 1/4 de tasse (50 ml) de bonbons à la menthe broyés. Parsemer ensuite de 1/4 de tasse (50 ml) de ces mêmes bonbons broyés avant de réfrigérer.
■ Remplacer les noix par 1 tasse (250 ml) de noix de coco râpé. Garnir ensuite de noix de coco.
■ Remplacer les noix par 1/2 tasse (125 ml) de cerises au marasquin hachées et égouttées. Garnir de cerises entières.

Tartelettes aux pacanes

1 paquet de 8 onces (250 g) de Fromage à la Crème
de MARQUE PHILADELPHIA, ramolli
1 tasse (250 ml) de Margarine PARKAY
2 tasses (500 ml) de farine
2 œufs battus
1 1/2 tasse (375 ml) de cassonade tassée
2 cuillérées à thé (10 ml) de vanille
1 1/2 tasse (375 ml) de pacanes broyées

Mélanger le fromage à la crème et la margarine, battre jusqu'à consistance homogène. Ajouter la farine; bien mélanger. Réfrigérer. Partager la pâte en quatre. Diviser chaque quart en douze boulettes. Foncer (bord et fond) les divisions d'un moule à muffins miniatures. Mélanger les œufs, la cassonade et la vanille; ajouter les pacanes. Remplir chaque tartelette à la cuillère. Cuire 30 minutes à 325°F/160°C ou jusqu'à doré. Laisser refroidir 5 minutes. Démouler. Saupoudrer de sucre à glacer si désiré.

4 douzaines

CARRÉS À L'AVOINE ET AUX CERISES

1¹/₄ tasse (300 ml) de flocons d'avoine à l'ancienne ou rapide, non cuits

¹/₃ de tasse (75 ml) de Margarine PARKAY, fondue

¹/₄ de tasse (50 ml) de sucre

* * *

1 paquet de 8 onces (250 g) de Fromage à la Crème de MARQUE PHILADELPHIA, ramolli

¹/₄ de tasse (50 ml) de sucre

1 œuf

21 onces (650 g) de garniture de tarte à la cerise

Mélanger les flocons d'avoine, la margarine et le sucre. Foncer un moule carré de 8 pouces (20 cm) en pressant. Cuire à 400°F/200°C, 15 minutes.

Mélanger à vitesse moyenne au fouet électrique le fromage à la crème et le sucre. Ajouter l'œuf, verser sur l'abaisse. Cuire à 350°F/180°C, 10 à 15 minutes ou jusqu'à cuit. Étaler la garniture sur le mélange de fromage à la crème. Prolonger la cuisson de 15 minutes. Réfrigérer.

8 portions

FLAN ACAPULCO

20 Caramels KRAFT

2 cuillérées à table (25 ml) d'eau

1 paquet de 8 onces (250 g) de Fromage à la Crème de MARQUE PHILADELPHIA, ramolli

¹/₂ tasse (125 ml) de sucre

6 œufs battus

1 cuillérée à thé (5 ml) de vanille

2 tasses (500 ml) de lait

Faire fondre les caramels avec l'eau à feu doux, remuer jusqu'à consistance crémeuse. Verser dans un moule à bain-marie graissé de 9 pouces (22 cm). Bien mélanger le fromage à la crème et le sucre. Ajouter les œufs et la vanille. Ajouter peu à peu le lait et battre jusqu'à ce que le tout soit bien mélangé. Mettre le moule à bain-marie sur la grille supérieure du four. Lentement, verser le mélange de lait sur la sauce caramel. Verser ¹/₂ pouce (1 cm) d'eau dans la partie inférieure du moule à bain-marie. Cuire à 350°F/180°C, 45 minutes ou jusqu'à ce qu'un couteau inséré à 2 pouces (5 cm) du bord en ressorte propre. Retirer du bain-marie immédiatement; laisser refroidir 5 minutes. Renverser sur un plat de service avec rebord. Servir chaud ou froid.

6 à 8 portions

Gâteau surprise aux carottes

1 paquet de 8 onces (250 g) de Fromage à la Crème de MARQUE PHILADELPHIA, ramolli
1/4 de tasse (50 ml) de sucre
1 œuf battu

* * *

2 tasses (500 ml) de farine
1 3/4 tasse (425 ml) de sucre
2 cuillérées à thé (10 ml) de bicarbonate de soude
2 cuillérées à thé (10 ml) de cannelle
1 cuillérée à thé (5 ml) de sel
1 tasse (250 ml) d'huile
3 œufs battus
3 tasses (750 ml) de carottes râpées
1/2 tasse (125 ml) de noix hachées

Bien mélanger le fromage à la crème, le sucre et les œufs. Réserver.

Mélanger les ingrédients secs. Ajouter les œufs et l'huile mélangés ensemble. Battre légèrement pour humidifier. Ajouter les carottes et les noix. Réserver 2 tasses (500 ml) de ce mélange. Verser le restant dans un moule à spirale de 9 pouces (25 cm) graissé et fariné. Verser le mélange de fromage à la crème sur la pâte. Verser ensuite délicatement la pâte réservée sur le mélange de fromage à la crème en l'étalant pour bien couvrir le fromage à la crème. Cuire à 350°F/180°C, 55 minutes ou jusqu'à ce qu'un cure-dent inséré au centre en ressorte propre. Laisser refroidir 10 minutes; démouler. Laisser refroidir complètement. Saupoudrer de sucre à glacer si désiré.

12 portions

VARIANTE
■ Remplacer le fromage à la crème par du Fromage à la Crème Léger de MARQUE PHILADELPHIA.

◀*Gâteau surprise aux carottes*

COMPOTE AUX FRUITS CHAUDS

1 boîte de 20 onces (620 g) d'ananas en morceaux
1 boîte de 17 onces (530 g) de moitiés d'abricots
1 boîte de 16 onces (500 g) de cerises foncées,
   dénoyautées
1/4 de tasse (50 ml) de cassonade tassée
1/2 cuillérée à thé (2 ml) de noix muscade moulue
   ou de cari (doux) en poudre
1/4 de tasse (50 ml) de Margarine PARKAY
   Fromage à la Crème de MARQUE PHILADELPHIA
   Tartinable

Mélanger tous les fruits égouttés dans une casserole de 1 1/2 pinte
(1,5 L). Saupoudrer de sucre et de muscade. Parsemer de margarine
en morceaux. Cuire à 350°F/180°C, 20 minutes. Servir chaud avec
du fromage à la crème.

6 à 8 portions

MICRO-ONDES
Préparer tel qu'indiqué. Chauffer à haute température, 5
minutes. Remuer toutes les 2 minutes. Remuer avant de servir.

CARRÉS TORTONI

1 enveloppe de gélatine sans saveur
1/2 tasse (125 ml) d'eau froide
2 contenants de 8 onces (250 g) de Fromage à la
   Crème de MARQUE PHILADELPHIA Velouté
2 cuillérées à table (25 ml) de sucre
1 boîte de 17 onces (530 g) d'abricots en moitiés,
   égouttés et coupés en morceaux
2 cuillérées à table (25 ml) d'amandes hachées et
   grillées
1/4 de cuillérée à thé (1 ml) d'essence de rhum
2 tasses (500 ml) de garniture fouettée congelée,
   décongelée
2 tasses (500 ml) de macarons, émiettés

Délayer la gélatine dans l'eau, remuer à feu doux jusqu'à dissolution
complète. Refroidir. Bien mélanger le fromage à la crème et le sucre.
Peu à peu ajouter la gélatine, bien mélanger le tout. Ajouter les
abricots, les amandes et l'essence de rhum. Incorporer la garniture
fouettée. Foncer un moule carré de 9 pouces (22 cm) avec les
miettes de macarons. Garnir du mélange de fromage à la crème.
Réfrigérer. Couper en carrés.

9 portions

Tarte surprise aux pêches

TARTE SURPRISE AUX PÊCHES

2 paquets de 8 onces (250 g) de Fromage à la
　　Crème Léger de MARQUE PHILADEPHIA,
　　ramolli

1/4 de tasse (50 ml) de sucre

1/2 cuillérée à thé (2 ml) de vanille

1 croûte de tarte de 9 pouces (22 cm), cuite

1 boîte de 16 onces (500 g) de tranches de pêches,
　　égouttées

1/4 de tasse (50 ml) de Conserves de Framboises
　　KRAFT

1 cuillérée à thé (5 ml) de jus de citron

Bien mélanger le fromage léger, le sucre et la vanille. Étaler sur la
croûte de tarte. Réfrigérer plusieurs heures ou toute une nuit. Garnir
de pêches au moment de servir. Bien mélanger les conserves et le
jus. Répartir sur les pêches. Garnir de feuilles de menthe si désiré.

6 à 8 portions

Sauce "Philly" au chocolat

1 paquet de 8 onces (250 g) de Fromage à la Crème
    de MARQUE PHILADELPHIA, coupé en cubes
$1/3$ de tasse (75 ml) de lait
2 carrés de chocolat non sucré de 1 once (30 g)
2 tasses (500 ml) de sucre à glacer, tamisé
1 cuillérée à thé (5 ml) de vanille

Mélanger le fromage à la crème, le lait et le chocolat. Remuer sur feu doux jusqu'à consistance crémeuse. Ajouter les ingrédients restants. Servir sur des poires pochées, de la crème glacée ou du gâteau.

2 tasses (500 ml)

NOTER
Cette crème peut être réfrigérée et réchauffée.

Dessert au glaçage à l'orange

3 onces (90 g) de gélatine saveur d'orange
1 tasse (250 ml) d'eau bouillante
$1/2$ tasse (125 ml) d'eau froide
$1/3$ de tasse (75 ml) de jus d'orange
1 cuillérée à thé (5 ml) de zeste d'orange
1 paquet de 8 onces (250 g) de Fromage à la Crème
    Léger de MARQUE PHILADELPHIA, ramolli
$1/4$ de tasse (50 ml) de sucre

Dissoudre la gélatine dans l'eau bouillante, ajouter l'eau froide, le jus et le zeste. Bien mélanger le fromage léger et le sucre. Incorporer peu à peu le mélange de gélatine à celui de fromage à la crème, remuer jusqu'à bien mélangé. Réfrigérer, remuer de temps à autre jusqu'à ce que le mélange soit épais mais non pris. Battre au fouet électrique jusqu'à consistance légère. Mettre dans des verres à parfait. Réfrigérer plusieurs heures ou toute une nuit.

6 à 8 portions

VARIANTES
■ Remplacer le fromage léger par du Fromage à la Crème de MARQUE PHILADELPHIA.
■ Remplacer la gélatine à saveur d'orange par de la gélatine à saveur de lime. Réduire le jus d'orange à $1/4$ de tasse (50 ml). Ajouter 2 cuillérées à table (25 ml) de jus de lime au jus d'orange. Remplacer le zeste d'orange par du zeste de lime.

TARTE "KANSAS CITY"

1¹/₄ tasse (300 ml) de pacanes finement hachées
³/₄ de tasse (175 ml) de farine
¹/₄ de tasse (50 ml) de Margarine PARKAY, fondue
2 paquets de 8 onces (250 g) de Fromage à la Crème de MARQUE PHILADELPHIA, ramolli
1¹/₂ tasse (375 ml) de sucre à glacer
1 contenant de 8 onces (250 g) de garniture fouettée congelée, décongelée
2 paquets de 4 onces (120 g) de pouding et garniture de tarte instantané au chocolat
2²/₃ tasses (650 ml) de lait

Mélanger les pacanes, la farine et la margarine. Foncer un moule à bord amovible de 9 pouces (22 cm). Cuire à 375°F/190°C, 20 minutes. Refroidir.

Bien mélanger le fromage et le sucre. Incorporer 1¹/₂ tasse (375 ml) de garniture fouettée. Étaler sur l'abaisse. Préparer le mélange de pouding comme indiqué dans le mode d'emploi mais en utilisant 2²/₃ tasses (650 ml) de lait. Étaler le pouding à la cuillère sur la couche de fromage à la crème. Réfrigérer plusieurs heures ou toute une nuit. Passer un couteau autour du moule. Démouler. Étaler le reste de garniture fouettée sur la couche de pouding au moment de servir.

10 à 12 portions

SOUFFLÉ AUX AMANDES

1 paquet de 8 onces (250 g) de Fromage à la Crème de MARQUE PHILADELPHIA, ramolli
¹/₃ de tasse (75 ml) de sucre
¹/₂ cuillérée à thé (2 ml) d'extrait d'amande
¹/₄ de cuillérée à thé (1 ml) de sel
4 œufs, jaunes et blancs séparés
¹/₂ tasse (125 ml) de moitié/moitié (lait/crème)
2 cuillérées à table (25 ml) d'amandes tranchées

Bien mélanger le fromage, le sucre, l'extrait et le sel jusqu'à homogénéité. Battre légèrement les jaunes d'œufs. Ajouter au mélange de fromage. Peu à peu, ajouter le moitié/moitié. Battre les blancs d'œufs en neige jusqu'à formation de pics durs, incorporer au mélange de fromage. Verser le tout dans un moule à soufflé de 1¹/₂ pinte (1,5 L). Avec le dos d'une cuillère, former de légères empreintes (en creux) tout autour du dessus du soufflé à 1 pouce (2,5 cm) du bord pour former un renflement. Garnir le dessus d'amandes. Cuire à 325°F/160°C, 50 minutes ou jusqu'à couleur dorée.

6 à 8 portions

CRÈME BAVAROISE AU CITRON

1 sachet de gélatine sans saveur
$1/2$ tasse (125 ml) d'eau froide
2 paquets de 8 onces (250 g) de Fromage à la Crème Léger de MARQUE PHILADELPHIA, ramolli
$1/3$ de tasse (75 ml) de sucre
$1/4$ de tasse (50 ml) de lait
$1/4$ de tasse (50 ml) de jus de citron
$1/2$ cuillérée à thé (2 ml) de zeste de citron
2 blancs d'œufs
2 tasses (500 ml) de garniture fouettée congelée, décongelée
Sauce au citron

Diluer la gélatine dans l'eau; remuer à feu doux jusqu'à dissolution complète. Bien mélanger le fromage léger et le sucre. Peu à peu, ajouter la gélatine, le lait, le jus et le zeste; bien mélanger le tout. Réfrigérer en remuant de temps à autre jusqu'à épaississement léger, mais non ferme. Battre au batteur électrique ou au fouet jusqu'à consistance crémeuse. Battre les blancs en neige jusqu'à formation de pics fermes. Incorporer ceux-ci, ansi que la garniture fouettée, dans le mélange de fromage léger. Verser dans un moule de $1 1/2$ pinte (1,5 L) légèrement graissé. Réfrigérer jusqu'à consistance ferme. Démouler et servir avec la sauce au citron.

8 à 10 portions

SAUCE AU CITRON

$3/4$ de tasse (175 ml) de sucre
2 cuillérées à table (25 ml) de fécule de maïs
$1/4$ de tasse (50 ml) d'eau
$1/4$ de tasse (50 ml) de jus de citron
2 jaunes d'œufs battus

Dans une casserole, mélanger le sucre et la fécule de maïs. Peu à peu ajouter l'eau et le jus. Cuire en remuant constamment, jusqu'à ce que le mélange soit clair et épaississe. Incorporer un peu de mélange chaud dans les jaunes d'œufs, incorporer les jaunes dœufs dans le mélange. Cuire, en remuant sans cesse, à feu doux jusqu'à épaississement. Refroidir.

VARIANTE
■ Remplacer le fromage léger par du Fromage à la Crème de MARQUE PHILADELPHIA. Augmenter la quantité de sucre de $1/2$ tasse (125 ml). Remplacer la garniture fouettée par 1 tasse (250 ml) de crème à fouetter, fouettée.

TARTE AUX FRAISES GLACÉES

Pâte à tarte pour une croûte de tarte de 9 pouces (22 cm)

2 paquets de 8 onces (250 g) de Fromage à la Crème Léger de MARQUE PHILADELPHIA, ramolli

$1/2$ tasse (125 ml) de sucre

1 cuillérée à table (15 ml) de lait

$1/4$ de cuillérée à thé (1 ml) de vanille

1 pinte (1 L) de fraises, équeutées

1 cuillérée à table (15 ml) de fécule de maïs

$1/4$ de tasse (50 ml) d'eau

Quelques gouttes de colorant alimentaire rouge (optionnel)

Sur une surface légèrement farinée, aplatir la pâte pour former un cercle de 12 pouces (30 cm). Placer dans un moule à quiche de 10 pouces (25 cm). Piquer les côtés et le fond avec une fourchette. Cuire à 450°F/230°C, 9 à 11 minutes ou jusqu'à doré.

Mélanger le fromage léger, $1/4$ de tasse (50 ml) de sucre, le lait et la vanille au fouet électrique à vitesse moyenne jusqu'à homogénéité. Verser sur l'abaisse. Réduire en purée 1 tasse (250 ml) de fraises. Garnir le mélange de fromage des fraises restantes. Mélanger la fécule de maïs et le sucre restant dans une casserole. Peu à peu ajouter la purée de fraises et l'eau. Cuire en remuant à feu moyen ou jusqu'à ce que le mélange soit clair et épaississe. Ajouter le colorant, verser sur les fraises entières. Réfrigérer.

8 portions

VARIANTES
■Remplacer le moule à quiche de 10 pouces (25 cm) par un moule à tarte de 9 pouces (22 cm).
■Remplacer la vanille par de l'extrait d'amandes.
■Remplacer le fromage léger par du Fromage à la Crème de MARQUE PHILADELPHIA.

Tarte aux fraises glacées▶

Carrés marbrés

CARRÉS MARBRÉS

$^1/_2$ tasse (125 ml) de Margarine PARKAY

$^3/_4$ de tasse (175 ml) d'eau

$1^1/_2$ carré de chocolat non sucré de 1 once (30 g)

2 tasses (500 ml) de farine

2 tasses (500 ml) de sucre

1 cuillérée à thé (5 ml) de bicarbonate de soude

$^1/_2$ cuillérée à thé (2 ml) de sel

2 œufs battus

$^1/_2$ tasse (125 ml) de crème sure

*   *   *

1 paquet de 8 onces (250 g) de Fromage à la Crème de MARQUE PHILADELPHIA, ramolli

$^1/_3$ de tasse (75 ml) de sucre

1 œuf

1 paquet de 6 onces (180 g) de chocolat mi-sucré en morceaux

(suite)

Mélanger la margarine, l'eau et le chocolat dans une casserole; amener à ébullition. Retirer du feu. Ajouter, mélangé ensemble, la farine, le sucre, le bicarbonate de soude et le sel. Ajouter ensuite les œufs et la crème sure. Bien mélanger. Verser le tout dans une plaque à biscuit roulé de 15 x 10 x 1 pouces (40 x 25 x 2,5 cm).

Bien mélanger le fromage et le sucre. Ajouter l'œuf. Étaler à la cuillère sur le mélange au chocolat. Couper plusieurs fois dans le mélange avec un couteau pour obtenir un effet marbré. Parsemer de morceaux de chocolat. Cuire à 375°F/190°C, de 25 à 30 minutes ou jusqu'à ce qu'un cure-dent inséré au centre en ressorte propre.

Environ 2 douzaines

TARTE PARADISIAQUE À LA COURGE

Pâte pour une croûte de tarte de 9 pouces (22 cm)

1 paquet de 8 onces (250 g) de Fromage à la Crème de MARQUE PHILADELPHIA, ramolli

1/4 de tasse (50 ml) de sucre

1/2 cuillérée à thé (2 ml) de vanille

1 œuf

*   *   *

1 1/4 tasse (300 ml) de courge en conserve

1 tasse (250 ml) de lait condensé (non sucré)

1/2 tasse (125 ml) de sucre

2 œufs battus

1 cuillérée à thé (5 ml) de cannelle

1/4 de cuillérée à thé (1 ml) de gingembre moulu

1/4 de cuillérée à thé (1 ml) de noix de muscade moulue

Une pincée de sel

Sirop d'érable

Pacanes en moitiés

Sur une surface légèrement farinée, aplatir la pâte en un cercle de 12 pouces (30 cm). Foncer un moule à tarte de 9 pouces (22 cm), former les bords. Canneler. Mélanger le fromage à la crème, le sucre et la vanille. Battre à vitesse moyenne au fouet électrique. Ajouter l'œuf. Verser sur la croûte de tarte.

Bien mélanger tous les ingrédients restants à l'exception des pacanes et du sirop d'érable. Délicatement, verser sur le dessus du mélange de fromage à la crème. Cuire à 350°F/180°C, 65 minutes. Refroidir. Napper de sirop et garnir de pacanes.

8 portions

TARTE "PHILLY" AUX ANANAS

Pâte pour une croûte de tarte de 9 pouces (22 cm)

1/3 de tasse (75 ml) de sucre

1 cuillérée à table (15 ml) de fécule de maïs

1 boîte de 8 onces (250 g) d'ananas en morceaux, non égouttés

*   *   *

1 paquet de 8 onces (250 g) de Fromage à la Crème de MARQUE PHILADELPHIA, ramolli

1/2 tasse (125 ml) de sucre

1/2 cuillérée à thé (2 ml) de sel

2 œufs

1/2 tasse (125 ml) de lait

1/2 cuillérée à thé (2 ml) de vanille

1/4 de tasse (50 ml) de pacanes hachées

Sur une surface légèrement farinée, aplatir la pâte en un cercle de 12 pouces (30 cm). Placer dans un moule à tarte de 9 pouces (22 cm). Former les bords. Canneler. Dans une casserole, mélanger le sucre et la fécule de maïs. Ajouter les ananas. Cuire en remuant sans cesse jusqu'à ce que le mélange soit clair et épaississe. Refroidir. Étaler sur la croûte de tarte.

Bien mélanger le fromage à la crème, le sucre et le sel. Ajouter les œufs, un à la fois. Bien mélanger après chaque ajout. Incorporer le lait et la vanille. Verser sur le mélange à l'ananas. Parsemer de pacanes. Cuire à 350°F/180°C, 35 minutes. Refroidir. Garnir de tranches d'ananas coupées en deux et de moitiés de cerises au marasquin si désiré.

8 portions

Haut: Tarte à la crème de menthe (voir la page 126)
Centre: Tarte "Philly" aux ananas
Bas: Tarte paradisiaque à la courge (voir la page 123)▶

TARTE À LA CRÈME DE MENTHE

    2 tasses (500 ml) (24) de biscuits au chocolat fourrés
      à la crème, émiettés
  1/4 de tasse (50 ml) de Margarine PARKAY, fondue

                    *   *   *
    2 paquets de 8 onces (250 g) de Fromage à la
      Crème de MARQUE PHILADELPHIA, ramolli
 11/2 tasse (375 ml) de sucre à glacer, tamisé
    2 cuillérées à table (25 ml) de crème de menthe
      verte
    2 tasses (500 ml) de crème à fouetter, fouettée

Mélanger les biscuits émiettés et la margarine, foncer un moule à tarte de 9 pouces (22 cm).

Bien mélanger le fromage à la crème, le sucre et la crème de menthe. Incorporer la crème fouettée et verser sur la croûte de tarte. Réfrigérer plusieurs heures ou toute une nuit. Garnir de copeaux de chocolat si désiré.

8 portions

FRAMBOISES GLACÉES

  1/4 de tasse (50 ml) de miel
    1 paquet de 8 onces (250 g) de Fromage à la Crème
      de MARQUE PHILADELPHIA, ramolli
   10 onces (300 g) de framboises congelées,
      partiellement décongelées, non égouttées
    1 tasse (250 ml) de bananes tranchées
    2 tasses (500 ml) de Guimauves Miniatures KRAFT
    1 tasse (250 ml) de crème à fouetter, fouettée

Ajouter peu à peu le miel au fromage à la crème. Bien mélanger. Incorporer les fruits, les guimauves et la crème fouettée. Mettre dans un moule carré, légèrement graissé de 9 pouces (22 cm). Congeler. Placer au réfrigérateur 30 minutes avant de servir. Couper en carrés.

9 portions

VARIANTES
■ Préparer tel qu'indiqué. Verser le mélange de framboises dans 10 verres en papier d'une contenance de 5 onces (150 g); insérer un bâtonnet au centre. Congeler.
■ Préparer tel qu'indiqué. Verser le mélange de framboises dans un moule à bord amovible de 9 pouces (22 cm) légèrement graissé. Congeler. Placer au réfrigérateur 1 heure avant de servir. Passer un couteau autour du moule. Démouler.

Barres étagées favorites

Barres étagées favorites

1 1/2 tasse (375 ml) de chapelure de biscuits graham
1/4 de tasse (50 ml) de sucre
1/4 de tasse (50 ml) de Margarine PARKAY fondue

* * *

1 paquet de 8 onces (250 g) de Fromage à la Crème de MARQUE PHILADELPHIA, ramolli
1/2 tasse (125 ml) de sucre
1 œuf
3/4 de tasse (175 ml) de flocons de noix de coco
3/4 de tasse (175 ml) de noix hachées
1 paquet de 6 onces (180 g) de chocolat mi-sucré en morceaux

Bien mélanger la chapelure, le sucre et la margarine. Foncer un moule de 13 x 9 pouces (33 x 22 cm). Cuire à 325°F/160°C, 10 minutes.

Bien mélanger le fromage à la crème, le sucre et l'œuf. Verser sur l'abaisse. Parsemer de noix de coco, de noix et de morceaux de chocolat mélangés ensemble. Presser légèrement sur la surface de l'abaisse pour imprimer. Cuire à 350°F/180°C, 25 à 30 minutes ou jusqu'à légèrement doré. Refroidir. Couper en barres.

Environ 3 douzaines

PIZZA AUX FRUITS

1 paquet de 20 onces (620 g) de biscuits au sucre réfrigérés

1 paquet de 8 onces (250 g) de Fromage à la Crème de MARQUE PHILADELPHIA, ramolli

$1/3$ de tasse (75 ml) de sucre

$1/2$ cuillérée à thé (2 ml) de vanille

  Bananes tranchées

  Kiwis, épluchés, tranchés

  Fraises coupées en deux

  Bleuets

$1/2$ tasse (125 ml) de Marmelade d'Oranges ou de Conserves de Pêches ou d'Abricots KRAFT

2 cuillérées à table (25 ml) d'eau

Congeler la pâte durant 1 heure. Couper en tranches de $1/8$ de pouce (3 mm). Tapisser de papier d'aluminium un plat à pizza de 14 pouces (35 cm). Recouvrir de tranches de pâte en superposant légèrement les bords. Cuire à 375°F/190°C, 12 minutes ou jusqu'à doré. Refroidir. Renverser sur un plat de service. Enlever délicatement le papier d'aluminium, retourner sur l'endroit.

Bien mélanger le fromage à la crème, le sucre et la vanille. Étaler sur l'abaisse, disposer les fruits sur la couche de fromage à la crème. Glacer avec la marmelade mélangée à l'eau. Réfrigérer. Découper en pointes.

10 à 12 portions

VARIANTES
■ Remplacer le fromage à la crème par du Fromage à la Crème de MARQUE PHILADELPHIA Tartinable.
■ Remplacer les bananes, kiwis, fraises ou bleuets par l'un ou les fruits suivants:
  Framboises
  Raisins rouges ou verts
  Morceaux d'ananas
  Demi-cerises au marasquin, égouttées
  Fines tranches de pêches, de poires ou de pommes
  Quartiers de mandarines, égouttées

CONSEIL
Disposer les fruits de manière à créer une variété de formes et de dessins; essayer des lignes, des triangles ou des cercles.

Pizza aux fruits▶

POMMES AU SOMMET ENNEIGÉ

2 pommes à cuire moyennes
2 cuillérées à thé (10 ml) de raisins secs
2 cuillérées à thé (10 ml) de noix hachées
Une pincée de cannelle
2 cuillérées à thé (10 ml) de Margarine PARKAY
2 cuillérées à table (25 ml) de Fromage à la Crème Léger de MARQUE PHILADELPHIA

Enlever le cœur des pommes. Éplucher le pourtour du dessus de la pomme. Placer dans un moule à flan de 10 pouces (25 cm). Remplir le centre des pommes avec les raisins secs, les noix et la cannelle. Parsemer de petits morceaux de margarine. Cuire à 375°F/190°C, 25 à 30 minutes ou jusqu'à ce qu'elles soient tendres. Garnir le dessus des pommes de fromage léger. Parsemer de noix si désiré.

2 portions

MICRO-ONDES
Préparer tel qu'indiqué. Couvrir le moule à flan d'une pellicule transparente en laissant un coin d'aération. Cuire à haute température 2^{1}/2 à 3 minutes ou jusqu'à ce que les pommes soient tendres. Servir tel qu'indiqué.

TARTE AUX CERISES SOLEIL LEVANT

1 boîte de 8 onces (250 g) d'ananas en morceaux écrasés, non égouttés
1 paquet de 8 onces (250 g) de Fromage à la Crème de MARQUE PHILADELPHIA, ramolli
1/2 cuillérée à thé (2 ml) de vanille
21 onces (650 g) de garniture à tarte aux cerises
1/4 de tasse (50 ml) de sucre à glacer
1 tasse (250 ml) de crème à fouetter
1 abaisse à la chapelure de biscuits graham de 9 pouces (22 cm)

Bien égoutter les ananas, réserver 2 cuillérées à table (25 ml) de jus. Bien mélanger ce jus, le fromage et la vanille. Ajouter 1/4 tasse (50 ml) d'ananas et 1/2 tasse (125 ml) de garniture à tarte. Peu à peu ajouter le sucre à la crème. Battre jusqu'à formation de pics mous. Incorporer dans le mélange de fromage. Étaler sur l'abaisse. Garnir d'ananas restant et de garniture. Réfrigérer jusqu'à consistance ferme.

6 à 8 portions

Tarte au caramel et aux pacanes

Pâte pour une croûte de tarte de 9 pouces (22 cm)
36 Caramels KRAFT
1/4 de tasse (50 ml) de Margarine PARKAY
1/4 de tasse (50 ml) d'eau
3/4 de tasse (175 ml) de sucre
3 œufs battus
1/2 cuillérée à thé (2 ml) de vanille
1/4 de cuillérée à thé (1 ml) de sel
1 tasse (250 ml) de pacanes en moitiés

Sur une surface légèrement farinée, aplatir la pâte en un cercle de 12 pouces (30 cm). Placer dans un moule à tarte de 9 pouces (22 cm), former les bords, canneler. Faire fondre les caramels et la margarine avec l'eau dans une casserole à fond épais, à feu doux, en remuant fréquemment. Peu à peu, ajouter le sucre, les œufs, la vanille et le sel. Bien mélanger. Ajouter les pacanes. Verser sur la crôute de tarte. Cuire à 350°F/180°C, 45 à 50 minutes ou jusqu'à ce que la croûte de tarte soit dorée. Refroidir. (La garniture paraîtra molle mais épaissira en refroidissant.)

8 portions

VARIANTE
■ Remplacer les pacanes par des noix hachées ou des cajous.

Dessert crémeux au riz

1 boîte de 8 onces (250 g) d'ananas en morceaux, non égouttés
2 tasses (500 ml) de riz cuit, réfrigéré
1 boîte de 11 onces (330 g) de quartiers d'orange de mandarine, égouttés
1/2 tasse (125 ml) de cerises au marasquin, coupées en deux
1/2 tasse (125 ml) de noix hachées
1 contenant de 8 onces (250 g) de Fromage à la Crème de MARQUE PHILDELPHIA Tartinable
1/4 de tasse (50 ml) de sucre
1/4 de cuillérée à thé (1 ml) de vanille

Égoutter les ananas, conserver 3 cuillérées à table (50 ml) de jus. Mélanger les ananas, le riz, les quartiers d'orange, les cerises et les noix. Remuer légèrement. Bien mélanger le liquide réservé, le fromage à la crème, le sucre et la vanille. Verser dans le mélange de riz. Remuer délicatement.

6 portions

BOULES DE FUDGE AUX FRAMBOISES

- 1 paquet de 8 onces (250 g) de Fromage à la Crème de MARQUE PHILADELPHIA, ramolli
- 1 paquet de 6 onces (180 g) de chocolat mi-sucré en morceaux, fondu
- 3/4 de tasse (175 ml) de miettes de gaufrettes à la vanille
- 1/4 de tasse (50 ml) de Conserves de Framboises KRAFT, passée
- Amandes finement hachées
- Cacao ou sucre à glacer

Bien mélanger le fromage à la crème et le chocolat. Ajouter les miettes de gaufrettes et les conserves. Réfrigérer plusieurs heures ou toute une nuit. Former des boules de 1 pouce (2,5 cm). Rouler dans les amandes, le cacao ou le sucre.

Environ 3 douzaines

CARRÉS AU CHOCOLAT À LA MENTHE

- 1 paquet de 6 onces (180 g) de chocolat mi-sucré en morceaux
- 1 tasse (250 ml) de Margarine PARKAY
- 1 3/4 tasse (425 ml) de chapelure de biscuits graham
- 1 tasse (250 ml) de flocons de noix de coco
- 1/2 tasse (125 ml) de noix hachées
- 2 paquets de 8 onces (250 g) de Fromage à la Crème de MARQUE PHILADELPHIA, ramolli
- 1 tasse (250 ml) de sucre à glacer, tamisé
- 1/2 cuillérée à thé (2 ml) d'extrait de menthe
- Colorant alimentaire vert (si désiré)

À feu doux, faire fondre 1/3 de tasse (75 ml) de morceaux de chocolat avec 3/4 de tasse (175 ml) de margarine. Remuer jusqu'à consistance crémeuse. Ajouter, mélangé ensemble, la chapelure, la noix de coco et les noix; bien mélanger. Foncer un moule de 13 x 9 pouces (33 x 22 cm) non graissé. Réfrigérer. Bien mélanger le fromage à la crème, le sucre, l'extrait de menthe et quelques gouttes du colorant. Verser sur l'abaisse. Réfrigérer. Faire fondre les morceaux de chocolat et la margarine restants à feu doux, en remuant jusqu'à consistance crémeuse. Étaler sur la couche de fromage à la crème, réfrigérer. Couper en carrés. Servir froid.

Environ 3 douzaines

◀*Boules de fudge aux framboises*

COURONNE "PHILLY" FOURRÉE À LA CRÈME

1 tasse (250 ml) d'eau
$1/2$ tasse (125 ml) de Margarine PARKAY
1 tasse (250 ml) de farine
$1/4$ de cuillérée à thé (1 ml) de sel
4 œufs

* * *

2 paquets de 8 onces (250 g) de Fromage à la Crème de MARQUE PHILADELPHIA, ramolli
$1\,1/2$ tasse (375 ml) de sucre à glacer
1 cuillérée à thé (5 ml) de vanille
1 tasse (250 ml) de crème à fouetter, fouettée
2 bananes tranchées
1 carré de chocolat non sucré de 1 once (30 g), fondu
1 cuillérée à table (15 ml) de lait

Amener l'eau et la margarine à ébullition. Ajouter la farine et le sel. Remuer vigoureusement, à feu doux, jusqu'à ce que le mélange forme une boule. Retirer du feu. Ajouter les œufs un à la fois. Bien battre après chaque ajout. Disposer 10 choux de $1/2$ tasse (125 ml) sur une plaque à biscuits légèrement graissée pour former une couronne de 9 pouces (22 cm). Cuire à 400°F/200°C, 50 à 55 minutes ou jusqu'à doré. Retirer de la plaque immédiatement. Refroidir.

Bien mélanger le fromage à la crème, 1 tasse (250 ml) de sucre et la vanille. Réserver $1/2$ tasse (125 ml) de ce mélange. Incorporer la crème et les bananes dans le reste du mélange de fromage à la crème. Réfrigérer. Couper délicatement le haut des choux; remplir du mélange à la crème fouettée. Replacer le chapeau. Ajouter le reste du sucre, le chocolat et le lait au mélange de fromage à la crème réservé; bien mélanger. Verser sur la couronne.

10 portions

Couronne "Philly" fourrée à la crème▶

Biscuits "Philly" glacés

BISCUITS "PHILLY" GLACÉS

Biscuits aux flocons d'avoine ou biscuits aux brisures de chocolat

Fromage à la Crème de MARQUE PHILADELPHIA Tartinable

Tranches de kiwis, épluchées

Quartiers de mandarine

Fraises tranchées

Pour chaque portion, tartiner chaque biscuit de fromage à la crème, garnir de fruits tel que désiré.

VARIANTE
■ Remplacer le fromage à la crème velouté par du Fromage à la Crème de MARQUE PHILADELPHIA.

TOURTE ALLEMANDE AUX POMMES

1/3 de tasse (75 ml) de Margarine PARKAY

1/3 de tasse (75 ml) de sucre

1 œuf

1 1/4 tasse (300 ml) de farine

*   *   *

2 paquets de 8 onces (250 g) de Fromage à la Crème Léger de MARQUE PHILADELPHIA, ramolli

1/2 tasse (125 ml) de sucre

2 cuillérées à table (25 ml) de farine

1/2 cuillérée à thé (2 ml) de vanille

2 œufs

1 1/4 de tasse (300 ml) de pommes épluchées, coupées en morceaux

1/4 de tasse (50 ml) d'amandes hachées

1/3 de tasse (75 ml) de gelée de raisin ou de groseilles, réchauffée

Battre ensemble la margarine et le sucre jusqu'à consistance légère et crémeuse. Incorporer l'œuf. Ajouter la farine. Bien mélanger. Foncer un moule à bord amovible de 9 pouces (22 cm). Former un bord de 1 1/4 pouce (3 cm). Cuire à 425°F/220°C, 5 à 7 minutes, ou jusqu'à ce que la croûte soit légèrement dorée.

Bien mélanger le fromage léger, le sucre, la farine et la vanille à vitesse moyenne au fouet électrique. Ajouter les œufs, un à la fois. Bien mélanger après chaque ajout. Verser sur l'abaisse. Garnir de pommes et d'amandes. Cuire à 425°F/220°C, 10 minutes. Réduire la température du four à 350°F/180°C, prolonger la cuisson de 30 minutes. Étendre la gelée. Passer un couteau autour du moule. Refroidir avant de démouler. Réfrigérer plusieurs heures ou toute une nuit.

10 à 12 portions

Gâteau aux cerises et aux noix

1 paquet de 8 onces (250 g) de Fromage à la Crème de MARQUE PHILADELPHIA, ramolli
1 tasse (250 ml) de Margarine PARKAY
1 1/2 tasse (375 ml) de sucre
1 1/2 cuillérée à thé (7 ml) de vanille
4 œufs
2 1/4 tasses (550 ml) de farine à pâtisserie, tamisée
1 1/2 cuillérée à thé (7 ml) de poudre à pâte
3/4 de tasse (175 ml) de cerises au marasquin coupées, bien égouttées
1/2 tasse (125 ml) de pacanes hachées

* * *

1/2 tasse (125 ml) de pacanes finement hachées
1 1/2 tasse (375 ml) de sucre à glacer, tamisé
2 cuillérées à table (25 ml) de lait

Bien mélanger le fromage à la crème, la margarine, le sucre et la vanille à vitesse moyenne au fouet électrique. Ajouter les œufs un à la fois, bien mélanger après chaque ajout. Tamiser ensemble 2 tasses (500 ml) de farine et la poudre à pâte. Graduellement, incorporer au mélange de fromage à la crème, bien mélanger. Enrober les cerises et les pacanes hachées du reste de farine et ajouter au mélange.

Graisser un moule tubulaire de 10 pouces (25 cm), parsemer de pacanes finement hachées. Verser la pâte dans le moule. Cuire à 325°F/160°C, 1 heure 10 minutes. Laisser refroidir 5 minutes; démouler. Refroidir. Glacer avec le sucre à glacer mélangé au lait. Garnir de pacanes et de demi-cerises au marasquin, si désiré.

10 à 12 portions

VARIANTES
■ Remplacer les cerises par 3/4 de tasse (150 ml) d'abricots secs et le lait par 2 cuillérées à table (25 ml) de jus d'orange et 1 cuillérée à thé (5 ml) de zeste d'orange.
■ Remplacer 2 tasses (500 ml) de farine à pâtisserie tamisée par de la farine tout usage.
■ Supprimer les noix hachées. Verser la pâte dans 3 boîtes à café (non peintes) de 1 livre (500 g) graissées et farinées. Cuire à 325°F/160°C, une heure.

PRÉPARATION À L'AVANCE
Préparer le gâteau. L'envelopper soigneusement dans une pellicule en plastique. Congeler. Décongeler à température de la pièce, 12 heures.

◄*Gâteau aux cerises et aux noix*

GOÛTERS AUX RAISINS SECS ET AUX POMMES

1¹/2 tasse (375 ml) de flocons d'avoine à l'ancienne ou rapide, non cuits

³/4 de tasse (175 ml) de farine

¹/2 tasse (125 ml) de cassonade, tassée

¹/4 de tasse (50 ml) de sucre

³/4 de tasse (175 ml) de Margarine PARKAY

2 paquets de 8 onces (250 g) de Fromage à la Crème de MARQUE PHILADELPHIA, ramolli

2 œufs

1 tasse (250 ml) de pommes, coupées en morceaux

¹/3 de tasse (75 ml) de raisins secs

1 cuillérée à table (15 ml) de sucre

¹/2 cuillérée à thé (2 ml) de cannelle

Mélanger les flocons d'avoine, la farine et les sucres. Ajouter la margarine, mélanger jusqu'à ce que le mélange ait une apparence grumeleuse. Réserver 1 tasse (250 ml) de mélange de flocons d'avoine. Foncer avec le mélange restant un moule de 13 x 9 pouces (33 x 22 cm) graissé. Cuire à 350°F/180°C, 15 minutes.

Bien mélanger le fromage à la crème et les œufs. Verser sur l'abaisse. Garnir le dessus d'ingrédients restants. Parsemer du mélange de flocons d'avoine réservé. Cuire à 350°F/180°C, 25 minutes. Refroidir, couper en rectangles.

Environ 1¹/2 douzaine

VARIANTE

■ Remplacer le fromage à la crème par du Fromage à la Crème Léger de MARQUE PHILADELPHIA.

SOUFFLÉ AUX FRAISES

1 paquet de 10 onces (330 g) de fraises congelées, décongelées

2 sachets de gélatine sans saveur

2¹/4 tasses (550 ml) d'eau froide

1 paquet de 8 onces (250 g) de Fromage à la Crème Léger de MARQUE PHILADELPHIA, ramolli

¹/4 de tasse (50 ml) de sucre

1 cuillérée à table (15 ml) de jus de citron

Colorant alimentaire rouge, optionnel

2 tasses (500 ml) de garniture fouettée congelée, décongelée

(suite)

140

Égoutter les fraises; réserver le liquide. Couper les fraises. Délayer la gélatine dans 1/2 tasse (125 ml) d'eau, remuer à feu doux jusqu'à dissolution complète. Ajouter l'eau restante. Bien mélanger le fromage et le sucre. Peu à peu, ajouter la gélatine au mélange de fromage. Bien mélanger. Ajouter le liquide réservé, le jus et quelques gouttes du colorant. Réfrigérer en remuant de temps à autre jusqu'à léger épaississement. Battre au fouet électrique jusqu'à consistance lisse. Incorporer les fraises et la garniture fouettée. Faire un collier de 3 pouces (7,5 cm) avec du papier d'aluminium autour des coupes à fruits ou un moule à soufflé de 1 pinte (1 L). Consolider avec du papier collant. Verser le mélange dans les coupes. Réfrigérer jusqu'à consistance ferme. Enlever le collier de papier avant de servir.

8 à 10 portions

VARIANTE
■ Remplacer le fromage à la crème léger par du Fromage à la Crème de MARQUE PHILADELPHIA. Augmenter la quantité de sucre à 2/3 de tasse (150 ml). Remplacer la garniture fouettée par 1 tasse (250 ml) de crème à fouetter, fouettée.

DÉLICIEUX DESSERT DE CRÊPES

1 paquet de 8 onces (250 g) de Fromage à la Crème
   Léger de MARQUE PHILADELPHIA, ramolli
3 cuillérées à table (50 ml) de miel
1 cuillérée à thé (5 ml) de zeste de citron
1 cuillérée à thé (5 ml) de jus de citron

* * *

1/2 tasse (125 ml) de lait
1/2 tasse (125 ml) de farine
1/4 de cuillérée à thé (1 ml) de sel
2 œufs battus
1 cuillérée à table (15 ml) de Margarine PARKAY
2 tasses (500 ml) de fruits assortis
1/4 de tasse (50 ml) de flocons de noix de coco,
   grillés

Bien mélanger le fromage léger, le miel, le zeste et le jus. Réfrigérer.

Ajouter peu à peu le lait à la farine mélangée avec le sel. Battre jusqu'à consistance lisse. Ajouter les œufs. Faire chauffer une plaque à four de 10 pouces (25 cm) à 450°F/230°C jusqu'à ce qu'elle soit très chaude. Étendre la margarine sur la plaque. Verser le mélange immédiatement. Cuire sur la grille inférieure à 450°F/230°C, 10 minutes. Réduire la température du four à 350°F/180°C, prolonger la cuisson de 10 minutes ou jusqu'à ce que la crêpe soit dorée. Déposer les fruits, parsemer de noix de coco. Servir immédiatement avec le mélange de fromage à la crème léger.

6 à 8 portions

CARRÉS FAVORIS AU FROMAGE À LA CRÈME

$1/3$ de tasse (75 ml) de Margarine PARKAY

$1/3$ de tasse (75 ml) de cassonade, tassée

  1 tasse (250 ml) de farine

$1/2$ tasse (125 ml) de noix hachées

  1 paquet de 8 onces (250 g) de Fromage à la Crème
     de MARQUE PHILADELPHIA, ramolli

$1/4$ de tasse (50 ml) de sucre

  1 cuillérée à thé (5 ml) de vanille

  1 œuf

$3/4$ de tasse (175 ml) de bonbons au chocolat au lait
     multicolores

Battre la margarine et la cassonade jusqu'à consistance légère et mousseuse. Ajouter la farine et les noix, bien mélanger. Réserver $1/2$ tasse (125 ml) du mélange. Foncer avec le reste du mélange un moule carré de 8 x 8 pouces (20 x 20 cm). Cuire à 350°F/180°C, 10 minutes.

Mélanger le fromage à la crème, le sucre et la vanille, bien battre à vitesse moyenne au fouet électrique. Ajouter l'œuf, mélanger. Déposer une couche de $1/2$ tasse (125 ml) de bonbons sur l'abaisse. Étaler par dessus une couche de mélange de fromage à la crème. Bien mélanger le reste des bonbons et le reste du mélange réservé. Parsemer ce mélange sur celui de fromage à la crème. Cuire à 350°F/180°C, 20 minutes. Refroidir.

16 portions

TOURTE À LA NOIX DE COCO

  1 contenant de 8 onces (250 g) de Fromage à la
     Crème de MARQUE PHILADELPHIA Tartinable

$1/4$ de tasse (50 ml) de sucre

  1 cuillérée à table (15 ml) de jus d'orange

$1/2$ tasse (125 ml) de flocons de noix de coco, grillées

$1/4$ de tasse (50 ml) d'amandes tranchées, grillées

  1 gâteau tout préparé de 10 onces (300 g) congelé,
     décongelé

Bien mélanger le fromage à la crème, le jus et le sucre. Ajouter les amandes et la noix de coco, bien mélanger. Couper le gâteau en trois parts, horizontalement. Tartiner chaque part avec le glaçage. Reformer. Réfrigérer.

6 portions

Carrés favoris au fromage à la crème ▶

Coupes de fruits "Philly"

COUPES DE FRUITS "PHILLY"

1 paquet de 8 onces (250 g) de Fromage à la Crème de MARQUE PHILADELPHIA, ramolli

2 tasses (500 ml) de lait

1 paquet de $3^1/2$ onces (100 g) de pouding et garniture de tarte à la vanille, instantané

$2^1/2$ tasses (625 ml) de gâteau, coupé en cubes

$1^1/2$ tasse (375 ml) de fraises tranchées

1 boîte de 16 onces (500 g) de pêches en moitiés, tranchées, égouttées, coupées en morceaux

Bien mélanger le fromage à la crème et $^1/2$ tasse (125 ml) de lait au fouet électrique à vitesse moyenne. Ajouter peu à peu le pouding et le lait restant en alternance. Battre à petite vitesse 1 à 2 minutes ou jusqu'à bien mélangé. Mettre les morceaux de gâteau et les fruits dans des coupes individuelles. Garnir du mélange de pouding. Garnir de garniture fouettée, de fruits additionnels et de feuilles de menthe fraîche si désiré.

8 portions

VARIANTES
■ Remplacer les pêches en conserve par $1^1/2$ tasse (375 ml) des pêches fraîches ou 17 onces (530 g) d'abricots en conserve.

144

TARTE "BOSTON" AU FROMAGE À LA CRÈME

1 paquet de 9 onces (270 g) de mélange à gâteau jaune

* * *

2 paquets de 8 onces (250 g) de Fromage à la Crème de MARQUE PHILADELPHIA, ramolli

1/2 tasse (125 ml) de sucre

1 cuillérée à thé (5 ml) de vanille

2 œufs

1/3 de tasse (75 ml) de crème sure

* * *

2 carrés de 1 once (30 g) de chocolat non sucré

3 cuillérées à table (50 ml) de Margarine PARKAY

1 tasse (250 ml) de sucre à glacer

2 cuillérées à table (25 ml) d'eau chaude

1 cuillérée à thé (5 ml) de vanille

Graisser un moule à bord amovible de 9 pouces (22 cm). Préparer le gâteau selon le mode d'emploi indiqué sur l'emballage. Verser dans le moule. Cuire à 350°F/180°C, 20 minutes.

Bien mélanger le fromage à la crème, le sucre et la vanille, battre au fouet électrique à vitesse moyenne. Ajouter les œufs un à la fois; bien battre après chaque ajout. Incorporer la crème sure, verser ce mélange sur le gâteau. Cuire à 350°F/180°C, 35 minutes. Passer un couteau autour du moule; refroidir avant de démouler.

Faire fondre le chocolat et la margarine à feu doux. Remuer jusqu'à consistance crémeuse, retirer du feu. Ajouter les ingrédients restants, bien mélanger. Étaler sur le gâteau au fromage. Réfrigérer plusieurs heures. Garnir de fraises si désiré.

10 à 12 portions

GÂTEAUX AU FROMAGE CLASSIQUES

GÂTEAU AU FROMAGE, ORANGE, CARAMEL AU BEURRE

1¹/4 tasse (300 ml) de flocons d'avoine à l'ancienne
   ou rapide, non cuits

¹/4 de tasse (50 ml) de Margarine PARKAY, fondue

¹/4 de tasse (50 ml) de cassonade, tassée

2 cuillérées à table (25 ml) de farine

*   *   *

3 paquets de 8 onces (250 g) de Fromage à la
   Crème de MARQUE PHILADELPHIA, ramolli

³/4 de tasse (175 ml) de sucre

2 cuillérées à thé (10 ml) de zeste d'orange

1 cuillérée à thé (5 ml) de vanille

4 œufs

*   *   *

¹/2 tasse (125 ml) de cassonade, tassée

¹/3 de tasse (75 ml) de sirop de maïs léger

¹/4 de tasse (50 ml) de Margarine PARKAY, fondue

1 cuillérée à thé (5 ml) de vanille

Mélanger les flocons d'avoine, la margarine, la cassonade et la farine. Foncer un moule à bord amovible de 9 pouces (22 cm). Cuire à 350°F/180°C, 15 minutes.

Bien mélanger, au fouet électrique à vitesse moyenne, le fromage à la crème, le sucre, le zeste et la vanille. Ajouter les œufs un à la fois, battre après chaque ajout. Verser sur l'abaisse. Cuire à 325°F/160°C, 1 heure et 5 minutes. Passer un couteau autour du moule. Refroidir avant de démouler. Réfrigérer.

Mélanger la cassonade, le sirop de maïs et la margarine dans une casserole. Amener à ébullition en remuant sans arrêt. Retirer du feu, incorporer la vanille. Réfrigérer jusqu'à légèrement pris et étaler à la cuillère sur le gâteau. Garnir de quartiers d'orange et de feuilles de menthe fraîche si désiré.

10 à 12 portions

Gâteau au fromage, orange, caramel au beurre ▶

Gâteau au fromage suprême

GÂTEAU AU FROMAGE SUPRÊME

1 tasse (250 ml) de chapelure de biscuits graham

3 cuillérées à table (50 ml) de sucre

3 cuillérées à table (50 ml) de Margarine PARKAY, fondue

*   *   *

4 paquets de 8 onces (250 g) de Fromage à la Crème de MARQUE PHILADELPHIA, ramolli

1 tasse (250 ml) de sucre

3 cuillérées à table (50 ml) de farine

4 œufs

1 tasse (250 ml) de crème sure

1 cuillérée à table (15 ml) de vanille

21 onces (650 g) de garniture à tarte à la cerise

(suite)

Mélanger la chapelure, le sucre et la margarine. Foncer un moule à bord amovible de 9 pouces (22 cm). Cuire à 325°F/160°C, 10 minutes.

Bien mélanger le fromage à la crème, le sucre et la farine à vitesse moyenne au fouet électrique. Ajouter les œufs un à la fois, bien mélanger après chaque ajout. Incorporer la crème sure et la vanille. Verser sur l'abaisse. Cuire à 450°F/230°C, 10 minutes. Réduire la température du four à 250°F/120°C, prolonger la cuisson d'une heure. Passer un couteau autour du moule, refroidir avant de démouler. Réfrigérer. Garnir de garniture à tarte au moment de servir.

10 à 12 portions

VARIANTE
■ Remplacer la chapelure et le sucre par 1 1/2 tasse (375 ml) de noix finement ciselées et 2 cuillérées à table (25 ml) de sucre.

GÂTEAU AU FROMAGE BANANE ET NOIX

1 tasse (250 ml) de miettes de gaufrettes au chocolat
1/4 de tasse (50 ml) de Margarine PARKAY, fondue
2 paquets de 8 onces (250 g) de Fromage à la Crème de MARQUE PHILADELPHIA, ramolli
1/2 tasse (125 ml) de sucre
1/2 tasse (125 ml) de bananes mûres écrasées
2 œufs
1/4 de tasse (50 ml) de noix hachées

*   *   *

1/3 de tasse (75 ml) de chocolat au lait en morceaux
1 cuillérée à table (15 ml) de Margarine PARKAY
2 cuillérées à thé (10 ml) d'eau

Mélanger les miettes et la margarine. Foncer un moule à bord amovible de 9 pouces (22 cm). Cuire à 350°F/180°C, 10 minutes.

Bien mélanger le fromage à la crème, le sucre et les bananes à vitesse moyenne au fouet électrique. Ajouter les œufs un à la fois, bien mélanger après chaque ajout. Ajouter les noix, verser sur l'abaisse. Cuire à 350°F/180°C, 40 minutes. Passer un couteau autour du moule, refroidir avant de démouler.

Faire fondre les morceaux de chocolat avec la margarine et l'eau à feu doux, remuer jusqu'à consistance crémeuse. Verser délicatement sur le gâteau au fromage. Réfrigérer.

10 à 12 portions

GÂTEAU AU FROMAGE RAISINS SECS ET CAROTTES

1 tasse (250 ml) de chapelure de biscuits graham
3 cuillérées à table (50 ml) de sucre
$1/2$ cuillérée à thé (2 ml) de cannelle
3 cuillérées à table (50 ml) de Margarine PARKAY, fondue

*   *   *

3 paquets de 8 onces (250 g) de Fromage à la Crème de MARQUE PHILADELPHIA, ramolli
$1/2$ tasse (125 ml) de sucre
$1/2$ tasse (125 ml) de farine
4 œufs
$1/4$ de tasse (50 ml) de jus d'orange
1 tasse (250 ml) de carottes finement râpées
$1/4$ de tasse (50 ml) de raisins secs
$1/2$ cuillérée à thé (2 ml) de noix muscade, moulue
$1/4$ de cuillérée à thé (1 ml) de gingembre moulu

*   *   *

1 cuillérée à table (15 ml) de jus d'orange
1 tasse (250 ml) de sucre à glacer, tamisé

Mélanger la chapelure, le sucre, la cannelle et la margarine. Foncer un moule à tarte à bord amovible de 9 pouces (22 cm). Cuire à 325°F/160°C, 10 minutes.

Bien mélanger $2^1/2$ paquets de fromage à la crème, le sucre et $1/4$ de tasse (50 ml) de farine au fouet électrique à vitesse moyenne. Ajouter les œufs et le jus. Ajouter la farine restante, les carottes, les raisins secs et les épices. Bien mélanger. Verser sur l'abaisse. Cuire à 450°F/230°C, 10 minutes. Réduire la température du four à 250°F/120°C, prolonger la cuisson de 55 minutes. Passer un couteau autour du moule; laisser refroidir avant de démouler. Réfrigérer.

Bien mélanger le reste de fromage à la crème et le jus. Ajouter peu à peu le sucre à glacer, bien mélanger. Étaler sur le dessus du gâteau. Garnir de raisins secs et de carottes finement râpées si désiré.

10 à 12 portions

◀ *Gâteau au fromage raisins secs et carottes*

GÂTEAU AU FROMAGE AUX FRAMBOISES ET CHOCOLAT

1¹/2 tasse (375 ml) (18) biscuits au chocolat à la crème, finement écrasés

  2 cuillérées à table (25 ml) de Margarine PARKAY, fondue

*   *   *

  4 paquets de 8 onces (250 g) de Fromage à la Crème de MARQUE PHILADELPHIA, ramolli

1¹/4 tasse (300 ml) de sucre

  3 œufs

  1 tasse (250 ml) de crème sure

  1 cuillérée à thé (5 ml) de vanille

  1 paquet de 6 onces (180 g) de chocolat mi-sucré en morceaux, fondu

¹/3 de tasse (75 ml) de Conserves de Framboises KRAFT, passées

*   *   *

  1 paquet de 6 onces (180 g) de chocolat mi-sucré en morceaux

¹/4 de tasse (50 ml) de crème à fouetter

Foncer un moule à tarte à bord amovible du mélange de biscuits écrasés et de margarine.

Bien mélanger au fouet électrique à vitesse moyenne 3 paquets de 8 onces (250 g) de fromage à la crème et le sucre. Ajouter les œufs un à un, bien mélanger après chaque ajout. Incorporer la crème sure et la vanille. Verser sur l'abaisse. Bien mélanger le quatrième paquet de fromage à la crème et le chocolat fondu au fouet électrique à vitesse moyenne. Ajouter les conserves, mélanger. Déposer par cuillérées le mélange de chocolat/fromage à la crème sur le mélange de fromage à la crème seul, ne pas mélanger les deux. Cuire à 325°F/160°C, 1 heure 20 minutes. Passer un couteau autour du moule. Refroidir avant de démouler.

Faire fondre à feu doux le chocolat et la crème à fouetter. Remuer jusqu'à consistance crémeuse. Étaler sur le gâteau. Réfrigérer. Garnir de crème à fouetter, fouettée, de framboises et de feuilles de menthe fraîche si désiré.

10 à 12 portions

GÂTEAU AU FROMAGE SENSATIONNEL

1 tasse (250 ml) de chapelure de biscuits graham

3 cuillérées à table (50 ml) de sucre

3 cuillérées à table (50 ml) de Margarine PARKAY, fondue

* * *

3 paquets de 8 onces (250 g) de Fromage à la Crème de MARQUE PHILADELPHIA, ramolli

1 tasse (250 ml) de sucre

3 cuillérées à table (50 ml) de farine

2 cuillérées à table (25 ml) de jus de citron

1 cuillérée à table (5 ml) de zeste de citron

1/2 cuillérée à thé (2 ml) de vanille

4 œufs (dont un blanc et jaune séparés)

* * *

3/4 de tasse (175 ml) de sucre

2 cuillérées à table (25 ml) de fécule de maïs

1/2 tasse (125 ml) d'eau

1/4 de tasse (50 ml) de jus de citron

Mélanger la chapelure, le sucre et la margarine. Foncer un moule à bord amovible de 9 pouces (22 cm). Cuire à 325°F/160°C, 10 minutes.

Mélanger le fromage à la crème, le sucre, la farine, le jus, le zeste et la vanille. Bien mélanger à vitesse moyenne au fouet électrique. Ajouter 3 œufs, un à la fois, bien mélanger après chaque ajout. Ajouter le blanc d'œuf restant, conserver le jaune pour dorer. Verser sur l'abaisse. Cuire à 450°F/230°C, 10 minutes. Réduire la température du four à 250°F/120°C, prolonger la cuisson de 30 minutes. Passer un couteau autour du moule. Refroidir avant de démouler.

Mélanger le sucre et la fécule de maïs dans une casserole, ajouter l'eau et le jus. Cuire en remuant constamment jusqu'à clair et épais. Ajouter une petite quantité de ce mélange chaud au jaune d'œuf légèrement battu. Ajouter le jaune d'œuf au mélange chaud. Faire cuire ce mélange 3 minutes en remuant. Refroidir un peu. Mettre à la cuillère sur le gâteau au fromage. Réfrigérer.

10 à 12 portions.

GÂTEAU AU FROMAGE ET AUX BLEUETS

1 1/2 tasse (375 ml) de miettes de gaufrettes à la vanille
1/4 de tasse (50 ml) de Margarine PARKAY, fondue

* * *

1 sachet de gélatine sans saveur
1/4 de tasse (50 ml) d'eau froide
2 paquets de 8 onces (250 g) de Fromage à la Crème de MARQUE PHILADELPHIA, ramolli
1 cuillérée à table (15 ml) de jus de citron
1 cuillérée à thé (5 ml) de zeste de citron
7 onces (200 g) de Crème de Guimauve KRAFT
1 contenant de 8 onces (250 g) de garniture fouettée congelée, décongelée
2 tasses (500 ml) de bleuets

Mélanger les miettes de gaufrettes et la margarine. Foncer un moule à bord amovible de 9 pouces (22 cm). Réfrigérer.

Délayer la gélatine dans l'eau à feu doux jusqu'à dissolution complète. Peu à peu ajouter la gélatine au fromage à la crème. Bien battre à vitesse moyenne au fouet électrique. Ajouter le jus et le zeste. Incorporer la crème de guimauve, ensuite la garniture fouettée. Réduire les bleuets en purée, les ajouter au mélange de fromage à la crème. Verser sur l'abaisse. Réfrigérer jusqu'à consistance ferme. Garnir de garniture fouettée et de zeste de citron si désiré.

10 à 12 portions

VARIANTES
■ Remplacer le fromage à la crème par du Fromage à la Crème Léger de MARQUE PHILADELPHIA.
■ Remplacer les bleuets par des fraises tranchées.
■ Remplacer les bleuets par des framboises.

◀ *Gâteau au fromage et aux bleuets*

GÂTEAU MERINGUÉ AU FROMAGE, CACAO ET PACANES

7 onces (210 g) de flocons de noix de coco, grillés
1/4 de tasse (50 ml) de pacanes hachées
3 cuillérées à table (50 ml) de Margarine PARKAY, fondue

*   *   *

2 paquets de 8 onces (250 g) de Fromage à la Crème de MARQUE PHILADELPHIA, ramolli
1/3 de tasse (75 ml) de sucre
3 cuillérées à table (50 ml) de cacao
2 cuillérées à table (25 ml) d'eau
1 cuillérée à thé (5 ml) de vanille
3 œufs, jaunes et blancs séparés

*   *   *

Une pincée de sel
7 onces (200 g) de Crème de Guimauve KRAFT
1/2 tasse (125 ml) de pacanes hachées

Mélanger la noix de coco, les pacanes et la margarine. Foncer un moule à bord amovible de 9 pouces (22 cm).

Mélanger le fromage à la crème, le sucre, le cacao, l'eau et la vanille. Bien mélanger au fouet électrique à vitesse moyenne. Ajouter les jaunes d'œufs. Étaler sur l'abaisse. Cuire à 350°F/180°C, 30 minutes. Passer un couteau autour du moule. Refroidir avant de démouler.

Ajouter le sel aux blancs d'œufs. Les battre jusqu'à consistance mousseuse. Peu à peu, ajouter la guimauve, battre jusqu'à formation de pics fermes. Parsemer le gâteau de pacanes jusqu'à 1/2 pouce (1 cm) du bord extérieur. Délicatement, étaler le mélange de crème de guimauve sur le dessus du gâteau au fromage, bien recouvrir. Cuire à 350°F/180°C, 15 minutes. Refroidir.

10 à 12 portions

◀*Gâteau meringué au fromage, cacao et pacanes*

Gâteau des fêtes crème irlandaise

GÂTEAU DES FÊTES CRÈME IRLANDAISE

1 tasse (250 ml) de chapelure de biscuits graham

1/4 de tasse (50 ml) de sucre

1/4 de tasse (50 ml) de Margarine PARKAY, fondue

*   *   *

1 sachet de gélatine sans saveur

1/2 tasse (125 ml) d'eau froide

1 tasse (250 ml) de sucre

3 œufs, jaunes et blancs séparés

2 paquets de 8 onces (250 g) de Fromage à la Crème de MARQUE PHILADELPHIA, ramolli

2 cuillérées à table (25 ml) de cacao

2 cuillérées à table (25 ml) de bourbon

1 tasse (250 ml) de crème à fouetter, fouettée

(suite)

Mélanger la chapelure, le sucre et la margarine, foncer un moule à tarte à bord amovible de 9 pouces (22 cm).

Dissoudre la gélatine dans l'eau à feu doux jusqu'à dissolution complète. Ajouter $3/4$ de tasse (175 ml) de sucre et les jaunes d'œufs battus; cuire à feu doux, en remuant constamment 3 minutes. Mélanger le fromage et le cacao, bien mélanger à vitesse moyenne au fouet électrique. Peu à peu, incorporer le mélange de gélatine et le bourbon, mélanger jusqu'à bien incorporé. Réfrigérer jusqu'à épaississement léger, mais non ferme. Battre les blancs d'œufs jusqu'à consistance mousseuse. Petit à petit, ajouter le sucre restant, bien battre jusqu'à formation de pics fermes. Incorporer les blancs d'œufs et la crème fouettée dans le mélange de fromage, verser sur l'abaisse. Réfrigérer jusqu'à consistance ferme. Garnir de copeaux de chocolat et de petites boules de bonbons argentées si désiré.

10 à 12 portions

VARIANTE
■Remplacer le bourbon par 2 cuillérées à table (25 ml) de café froid.

GÂTEAU AU FROMAGE ET AUX BISCUITS À LA CRÈME

2 tasses (500 ml) (24) de biscuits au chocolat fourrés à la crème, émiettés
6 cuillérées à table (100 ml) de Margarine PARKAY, ramolli
1 sachet de gélatine sans saveur
$1/4$ de tasse (50 ml) d'eau froide
1 paquet de 8 onces (250 g) de Fromage à la Crème de MARQUE PHILADELPHIA, ramolli
$1/2$ tasse (125 ml) de sucre
$3/4$ de tasse (175 ml) de lait
1 tasse (250 ml) de crème à fouetter, fouettée
$1^1/4$ tasse (300 ml) (10) biscuits au chocolat fourrés à la crème, grossièrement émiettés

Mélanger les biscuits émiettés et la margarine, foncer un moule à tarte à bord amovible de 9 pouces (22 cm).

Bien dissoudre la gélatine dans l'eau à feu doux. Bien mélanger le fromage et le sucre au fouet électrique à vitesse moyenne. Peu à peu, ajouter la gélatine et le lait, bien mélanger. Réfrigérer jusqu'à ce que le mélange épaississe légèrement. Incorporer la crème. Réserver $1^1/2$ tasse (375 ml) du mélange de fromage, verser le restant sur l'abaisse. Garnir de biscuits et de mélange de fromage réservé. Réfrigérer jusqu'à consistance ferme.

8 portions

GÂTEAU AU FROMAGE MOËLLEUX

1 tasse (250 ml) de chapelure de biscuits graham
3 cuillérées à table (50 ml) de sucre
3 cuillérées à table (50 ml) de Margarine PARKAY, fondue

*   *   *

1 sachet de gélatine sans saveur
1/4 de tasse (50 ml) d'eau froide
1 paquet de 8 onces (250 g) de Fromage à la Crème de MARQUE PHILADELPHIA, ramolli
1/2 tasse (125 ml) de sucre
10 onces (300 g) de fraises congelées, décongelées
Lait
1 tasse (250 ml) de crème à fouetter, fouettée

Mélanger la chapelure, le sucre et la margarine. Foncer un moule à bord amovible de 9 pouces (22 cm). Cuire à 325°F/160°C, 10 minutes. Refroidir.

Dissoudre la gélatine dans l'eau à feu doux jusqu'à dissolution complète. Bien mélanger le fromage à la crème et le sucre à vitesse moyenne au fouet électrique. Égoutter les fraises, réserver le jus. Ajouter assez de lait à ce jus pour avoir une quantité de 1 tasse (250 ml). Ajouter peu à peu le mélange de lait et jus et la gélatine au fromage à la crème. Bien mélanger. Réfrigérer pour faire prendre légèrement. Incorporer la crème fouettée et les fraises. Verser sur l'abaisse. Réfrigérer jusqu'à consistance ferme.

10 à 12 portions

VARIANTE
■ Remplacer la chapelure de biscuits graham, le sucre et la margarine par 1 tasse (250 ml) de miettes de gaufrettes à la vanille, 1/2 tasse (125 ml) de noix hachées, 2 cuillérées à table (25 ml) de sucre et 2 cuillérées à table (25 ml) de margarine.

GÂTEAU AU FROMAGE ET CERISES EN TREILLIS

20 onces (620 g) de pâte à biscuits au sucre réfrigérés

* * *

2 paquets de 8 onces (250 g) de Fromage à la
   Crème de MARQUE PHILADELPHIA, ramolli
1 tasse (250 ml) de crème sure
3/4 de tasse (175 ml) de sucre
1/4 de cuillérée à thé (1 ml) d'extrait d'amande
3 œufs
21 onces (650 g) de garniture de tarte à la cerise

Congeler la pâte à biscuits durant 1 heure. Couper en tranches de
1/8 de pouce (3 mm). Disposer les tranches, en les superposant
légèrement, de façon à garnir le fond et le bord d'un moule à bord
amovible de 9 pouces (22 cm), graissé. Avec les doigts légèrement
farinés, sceller les bords pour former la croûte.

Mélanger le fromage à la crème, la crème sure, le sucre et l'extrait au
fouet électrique à vitesse moyenne. Ajouter les œufs un à la fois,
battre après chaque ajout. Réserver 1/4 de tasse (50 ml) de ce
mélange au réfrigérateur. Verser le mélange restant sur l'abaisse.
Cuire à 350°F/180°C, 1 heure 10 minutes. Augmenter la température
du four à 450°F/230°C. Mettre à la cuillère la garniture de tarte sur le
gâteau au fromage. Avec une cuillère, mettre le mélange réservé sur
la garniture de tarte en lignes croisées pour former un dessin grillagé.
Cuire à 450°F/230°C, 10 minutes. Passer un couteau autour du
moule; refroidir avant de démouler.

10 à 12 portions

VARIANTE
■ Remplacer le moule de 9 pouces (22 cm) par une plaque à
four de 13 x 9 pouces (33 x 22 cm). Préparer tel qu'indiqué
mais cuire à 350°F/180°C, 40 minutes. Augmenter la
température à 450°F/230°C. Continuer tel qu'indiqué.

GÂTEAU AUTOMNAL AU FROMAGE

1 tasse (250 ml) de chapelure de biscuits graham
3 cuillérées à table (50 ml) de sucre
$^1/_2$ cuillérée à thé (2 ml) de cannelle
$^1/_4$ de tasse (50 ml) de Margarine PARKAY, fondue

* * *

2 paquets de 8 onces (250 g) de Fromage à la Crème de MARQUE PHILADELPHIA, ramolli
$^1/_2$ tasse (125 ml) de sucre
2 œufs
$^1/_2$ cuillérée à thé (2 ml) de vanille

* * *

4 tasses (1 L) de pommes épluchées, finement tranchées
$^1/_3$ de tasse (75 ml) de sucre
$^1/_2$ cuillérée à thé (2 ml) de cannelle
$^1/_4$ de tasse (50 ml) de pacanes hachées

Mélanger la chapelure, le sucre, la cannelle et la margarine. Foncer un moule à bord amovible de 9 pouces (22 cm). Cuire à 350°/180°C, 10 minutes.

Bien mélanger le fromage à la crème et le sucre à vitesse moyenne au fouet électrique. Ajouter les œufs un à la fois. Battre après chaque addition. Incorporer la vanille, verser sur l'abaisse.

Enrober les pommes de sucre et de cannelle. Mettre à la cuillère le mélange de pommes sur le fromage à la crème. Parsemer de pacanes. Cuire à 350°F/180°C, 1 heure et 10 minutes. Passer un couteau autour du moule, refroidir avant de démouler. Réfrigérer

10 à 12 portions

VARIANTE
■ Ajouter $^1/_2$ tasse (125 ml) de pacanes finement hachées dans l'abaisse. Continuer tel qu'indiqué.

Gâteau automnal au fromage ▶

164

GÂTEAU AU FROMAGE AU CHOCOLAT VELOUTÉ

1 tasse (250 ml) de miettes de gaufrettes à la vanille
1/2 tasse (125 ml) de pacanes hachées
3 cuillérées à table (50 ml) de sucre
1/4 de tasse (50 ml) de Margarine PARKAY, fondue

*   *   *

2 paquets de 8 onces (250 g) de Fromage à la Crème de MARQUE PHILADELPHIA, ramolli
1/2 tasse (125 ml) de cassonade, tassée
2 œufs
1 paquet de 6 onces (180 g) de chocolat mi-sucré en morceaux, fondu
3 cuillérées à table (50 ml) de liqueur à saveur d'amande

*   *   *

2 tasses (500 ml) de crème sure
2 cuillérées à table (25 ml) de sucre

Mélanger les miettes de gaufrettes, le sucre, les pacanes et la margarine. Foncer un moule à bord amovible de 9 pouces (22 cm). Cuire à 325°F/160°C, 10 minutes.

Bien mélanger à vitesse moyenne au fouet électrique le fromage à la crème et la cassonade. Ajouter les œufs, un à la fois, bien mélanger après chaque ajout. Ajouter le chocolat et la liqueur. Verser sur l'abaisse. Cuire à 325°F/160°C, 35 minutes.

Augmenter la température du four à 425°F/220°C, mélanger la crème sure et le sucre. Étaler delicatement sur le gâteau au fromage. Cuire à 425°F/220°C, 10 minutes. Passer un couteau autour du moule. Refroidir avant de démouler. Réfrigérer.

10 à 12 portions

VARIANTE
■ Remplacer la liqueur d'amande par 2 cuillérées à table (25 ml) de lait et 1/4 de cuillérée à thé (1 ml) d'extrait d'amande.

Gâteau au fromage marbré

GÂTEAU AU FROMAGE MARBRÉ

1 tasse (250 ml) de chapelure de biscuits graham

3 cuillérées à table (50 ml) de sucre

3 cuillérées à table (50 ml) de Margarine PARKAY, fondue

*　　*　　*

3 paquets de 8 onces (250 g) de Fromage à la Crème de MARQUE PHILADELPHIA, ramolli

3/4 de tasse (175 ml) de sucre

1 cuillérée à thé (5 ml) de vanille

3 œufs

1 carré de 1 once (30 g) de chocolat non sucré, fondu

Mélanger la chapelure, le sucre et la margarine. Foncer un moule à bord amovible de 9 pouces (22 cm). Cuire à 350°F/180°C, 10 minutes.

Bien mélanger au fouet électrique à vitesse moyenne le fromage à la crème, le sucre et la vanille. Ajouter les œufs un à la fois, bien battre après chaque ajout. Mélanger le chocolat à 1 tasse (250 ml) de ce mélange. Mettre alternativement à la cuillère le mélange avec chocolat et celui sans chocolat sur l'abaisse. Passer un couteau plusieurs fois dans ce mélange pour obtenir un effet marbré. Cuire à 450°F/230°C, 10 minutes. Réduire la température du four à 250°F/120°C. Prolonger la cuisson de 30 minutes. Passer un couteau autour du moule. Laisser refroidir avant de démouler. Réfrigérer.

10 à 12 portions

GÂTEAU DE GALA AU FROMAGE ET À L'ABRICOT

2^1/$_4$ tasses (550 ml) de flocons d'avoine rapide, non
cuits
^{1}/$_3$ de tasse (75 ml) de cassonade, tassée
3 cuillérées à table (50 ml) de farine
^{1}/$_3$ de tasse (75 ml) de Margarine PARKAY, fondue

* * *

1 sachet de gélatine sans saveur
^{1}/$_3$ de tasse (75 ml) d'eau froide
2 paquets de 8 onces (250 g) de Fromage à la
Crème de MARQUE PHILADELPHIA, ramolli
^{1}/$_2$ tasse (125 ml) de sucre
2 cuillérées à table (25 ml) de brandy
^{1}/$_2$ tasse (125 ml) d'abricots secs, finement hachés
1 tasse (250 ml) de crème à fouetter, fouettée

* * *

10 onces (300 g) de Conserves d'Abricots KRAFT
1 cuillérée à table (5 ml) de brandy

Mélanger les flocons d'avoine, la cassonade, la farine et la margarine.
Foncer un moule à bord amovible de 9 pouces (22 cm) en formant
un bord de 1^1/$_2$ pouce (4 cm). Cuire à 350°F/180°C, 15 minutes.
Refroidir.

Dissoudre la gélatine dans l'eau à feu doux jusqu'à dissolution
complète. Bien mélanger au fouet électrique à vitesse moyenne le
fromage à la crème et le sucre. Ajouter peu à peu la gélatine et le
brandy au mélange de fromage à la crème. Bien mélanger. Réfrigérer
jusqu'à consistance légèrement ferme. Incorporer les abricots secs et
la crème fouettée. Verser sur l'abaisse. Réfrigérer jusqu'à consistance
ferme.

Faire tiédir à feu doux les conserves et le brandy. Étaler à la cuillère
sur le gâteau au fromage.

10 à 12 portions

VARIANTE
■ Remplacer le fromage à la crème par du Fromage à la
Crème Léger de MARQUE PHILADELPHIA.

GÂTEAU AU FROMAGE PRALINÉ

1 tasse (250 ml) de chapelure de biscuits graham

3 cuillérées à table (50 ml) de sucre

3 cuillérées à table (50 ml) de Margarine PARKAY, fondue

*   *   *

3 paquets de 8 onces (250 g) de Fromage à la Crème de MARQUE PHILADELPHIA, ramolli

3/4 de tasse (175 ml) de cassonade, tassée

2 cuillérées à table (25 ml) de farine

3 œufs

2 cuillérées à thé (10 ml) de vanille

1/2 tasse (125 ml) de pacanes finement hachées

Sirop d'érable

Moitiés de pacanes

Mélanger la chapelure, le sucre et la margarine. Foncer un moule à bord amovible de 9 pouces (22 cm). Cuire à 350°F/180°C, 10 minutes.

Bien mélanger le fromage à la crème, la cassonade et la farine à vitesse moyenne au fouet électrique. Ajouter les œufs, un à un, bien battre après chaque ajout. Ajouter la vanille et les pacanes hachées. Verser sur l'abaisse. Cuire à 450°F/230°C, 10 minutes. Réduire la température du four à 250°F/120°C; prolonger la cuisson de 30 minutes. Passer un couteau autour du moule; refroidir avant de démouler. Réfrigérer. Enduire de sirop; garnir de moitiés de pacanes.

10 à 12 portions

GÂTEAU AU FROMAGE CÉLESTE

1 cuillérée à table (15 ml) de chapelure de biscuits graham

1 tasse (250 ml) de fromage cottage léger (à 1% ou 2%)

2 paquets de 8 onces (250 g) de Fromage à la Crème Léger de MARQUE PHILADELPHIA, ramolli

2/3 de tasse (150 ml) de sucre

2 cuillérées à table (25 ml) de farine

3 œufs

2 cuillérées à table (25 ml) de lait écrémé (à 1%)

1/4 de cuillérée à thé (1 ml) d'extrait d'amande

(suite)

Graisser légèrement un moule à bord amovible de 9 pouces (22 cm). Parsemer de chapelure. Renverser pour enlever l'excès. Mettre le fromage cottage dans le bol d'un mélangeur électrique. Couvrir, battre à grande vitesse jusqu'à consistance crémeuse. Dans le grand bol du mélangeur, mélanger le fromage cottage, le fromage léger, le sucre et la farine. Bien mélanger à vitesse moyenne. Ajouter les œufs, un à la fois, battre après chaque ajout. Ajouter le lait et l'extrait. Verser dans le moule. Cuire à 325°F/160°C, 45 à 50 minutes ou jusqu'à ce que le centre soit presque pris (le centre du gâteau au fromage semblera mou, mais se raffermira en refroidissant). Passer un couteau autour du moule, refroidir avant de démouler. Réfrigérer. Garnir de fraises ou de bleuets si désiré.

10 à 12 portions

VARIANTE

■ Préparer le moule tel qu'indiqué. Mettre le fromage cottage dans le grand bol du fouet électrique, battre le fromage cottage à grande vitesse jusqu'à consistance crémeuse. Ajouter le fromage léger, le sucre et la farine; bien mélanger à vitesse moyenne. Continuer tel qu'indiqué.

DÉLICE CITRONNÉ AU FROMAGE

1 1/2 tasse (375 ml) de chapelure de biscuits graham
1/4 de tasse (50 ml) de sucre
1/2 tasse (125 ml) de Margarine PARKAY, fondue

* * *

1 sachet de gélatine sans saveur
1/3 de tasse (75 ml) d'eau froide
1/3 de tasse (75 ml) de jus de citron
3 œufs, blancs et jaunes séparés
1/2 tasse (125 ml) de sucre
1 cuillérée à thé (5 ml) de zeste de citron
2 contenants de 8 onces (250 g) de Fromage à la Crème de MARQUE PHILADELPHIA Tartinable

Mélanger la chapelure, le sucre et la margarine. Réserver 1/2 tasse (125 ml) de ce mélange. Avec le restant, foncer un moule à bord amovible de 9 pouces (22 cm).

Dissoudre la gélatine dans l'eau à feu doux jusqu'à dissolution complète. Ajouter le jus, les jaunes d'œufs, 1/4 de tasse (50 ml) de sucre et le zeste. Remuer constamment à feu moyen durant 5 minutes. Ajouter peu à peu au fromage à la crème, mélanger au fouet électrique à vitesse moyenne. Battre les blancs d'œufs en neige jusqu'à consistance mousseuse. Peu à peu, ajouter le sucre restant; bien battre jusqu'à formation de pics durs. Incorporer dans le mélange de fromage à la crème. Verser sur l'abaisse. Garnir de mélange réservé. Réfrigérer jusqu'à consistance ferme.

10 à 12 portions

GÂTEAU AU FROMAGE
TENTATION

1 1/2 tasse (375 ml) de miettes de macarons mous à la
noix de coco

* * *

3 paquets de 8 onces (250 g) de Fromage à la
Crème de MARQUE PHILADELPHIA, ramolli

3/4 de tasse (175 ml) de sucre

4 œufs

1/2 tasse (125 ml) de crème sure

1/2 tasse (125 ml) de crème à fouetter

2 cuillérées à table (75 ml) de sherry doux

1 cuillérée à thé (5 ml) de vanille

* * *

10 onces (300 g) de Conserves de Framboises
Rouges KRAFT

1/2 tasse (125 ml) de crème à fouetter, fouettée
Amandes grillées, tranchées

Presser les miettes de macarons dans le fond d'un moule à bord
amovible de 9 pouces (22 cm) graissé. Cuire à 325°F/160°C,
15 minutes.

Mélanger le fromage à la crème et le sucre. Bien battre à vitesse
moyenne au fouet électrique. Ajouter les œufs, un à la fois. Bien
mélanger après chaque ajout. Incorporer la crème sure , la crème
à fouetter , le sherry et la vanille; verser sur l'abaisse. Cuire à
325°F/160°C, 1 heure 10 minutes. Passer un couteau autour du
moule; refroidir avant de démouler. Réfrigérer.

Faire chauffer les conserves à feu doux dans une casserole jusqu'à
ce qu'elles soit bien fondues. Passer pour retirer les pépins de
framboises. Étaler à la cuillère sur le gâteau jusqu'au bord. Garnir
généreusement de crème fouettée, décorer avec des amandes.

10 à 12 portions

Gâteau au fromage glacé

GÂTEAU AU FROMAGE GLACÉ

1 tasse (250 ml) de chapelure de biscuits graham
1/4 de tasse (50 ml) de sucre
1/4 de tasse (50 ml) de Margarine PARKAY, fondu

* * *

1 sachet de gélatine sans saveur
1/4 de tasse (50 ml) d'eau froide
1 paquet de 8 onces (250 g) de Fromage à la Crème
de MARQUE PHILADELPHIA, ramolli
1/2 tasse (125 ml) de sucre
3/4 de tasse (175 ml) de lait
1/4 de tasse (50 ml) de jus de citron
1 tasse (250 ml) de crème à fouetter, fouettée
Moitiés de fraises

Mélanger la chapelure, le sucre et la margarine; foncer un moule à bord amovible de 9 pouces (22 cm).

Dissoudre la gélatine dans l'eau à feu doux jusqu'à dissolution complète. Bien mélanger le fromage à la crème et le sucre à vitesse moyenne au fouet électrique. Ajouter peu à peu la gélatine, le lait et le jus, bien mélanger. Réfrigérer jusqu'à consistance légèrement ferme; incorporer la crème fouettée. Verser sur l'abaisse et réfrigérer jusqu'à consistance ferme. Garnir de fraises au moment de servir.

8 portions

173

GÂTEAU AU FROMAGE RHUM/RAISINS SECS

1 tasse (250 ml) de flocons d'avoine à l'ancienne ou rapide, non cuits

1/4 de tasse (50 ml) de noix hachées

3 cuillérées à table (50 ml) de cassonade, tassée

3 cuillérées à table (50 ml) de Margarine PARKAY, fondue

* * *

2 paquets de 8 onces (250 g) de Fromage à la Crème de MARQUE PHILADELPHIA, ramolli

1/3 de tasse (75 ml) de sucre

1/4 de tasse (50 ml) de farine

2 œufs

1/2 tasse (125 ml) de crème sure

3 cuillérées à table (50 ml) de rhum

2 cuillérées à table (25 ml) de Margarine PARKAY

1/3 de tasse (75 ml) de cassonade foncée, tassée

1/3 de tasse (75 ml) de raisins secs

1/4 de tasse (50 ml) de noix hachées

2 cuillérées à table (25 ml) de flocons d'avoine à l'ancienne ou rapide, non cuits

Mélanger les flocons d'avoine, les noix, la cassonade et la margarine; foncer un moule à bord amovible de 9 pouces (22 cm). Cuire à 350°F/180°C, 15 minutes.

Mélanger le fromage à la crème, le sucre et 2 cuillérées à table (25 ml) de farine. Bien mélanger au fouet électrique à vitesse moyenne. Ajouter les œufs un à la fois. Bien mélanger après chaque ajout. Incorporer la crème sure et le rhum, bien mélanger. Verser sur l'abaisse. Ajouter la margarine peu à peu à la farine restante et la cassonade jusqu'à ce que le mélange ait une consistance grumeleuse. Ajouter les raisins secs, les noix et les flocons d'avoine. Parsemer ce mélange sur celui de fromage à la crème. Cuire à 350°F/180°C, 50 minutes. Passer un couteau autour du moule. Refroidir avant de démouler.

10 à 12 portions

Haut: Gâteau au fromage rhum/raisins secs
◀ *Bas: Gâteau au fromage aloha (voir la page 176)*

GÂTEAU AU FROMAGE ALOHA

> 1 tasse (250 ml) de miettes de gaufrettes à la vanille
> 1/4 de tasse (50 ml) de Margarine PARKAY, fondue
>
> * * *
>
> 2 paquets de 8 onces (250 g) de Fromage à la Crème de MARQUE PHILADELPHIA, ramolli
> 1/3 de tasse (75 ml) de sucre
> 2 cuillérées à table (25 ml) de lait
> 2 œufs
> 1/2 tasse (125 ml) de noix macadamia, grillées
> 1 boîte de 8 onces (250 g) d'ananas broyés, égouttés
> 1 kiwi épluché, tranché

Mélanger les miettes de gaufrettes et la margarine. Foncer un moule de 9 pouces (22 cm) à bord amovible. Cuire à 350°F/180°C, 10 minutes.

Mélanger à vitesse moyenne au fouet électrique le fromage à la crème, le sucre et le lait jusqu'à consistance homogène. Ajouter les œufs, un à la fois, bien mélanger après chaque ajout. Ajouter les noix et verser sur l'abaisse. Cuire à 350°F/180°C, 45 minutes. Passer un couteau autour du moule, refroidir avant de démouler. Réfrigérer. Avant de servir, garnir de fruits.

10 à 12 portions

GÂTEAU SUPRÊME AU FROMAGE AUX BRISURES DE CHOCOLAT

> 1 tasse (250 ml) de miettes de gaufrettes au chocolat
> 3 cuillérées à table (50 ml) de Margarine PARKAY, fondue
>
> * * *
>
> 3 paquets de 8 onces (250 g) de Fromage à la Crème de MARQUE PHILADELPHIA, ramolli
> 3/4 de tasse (175 ml) de sucre
> 1/4 de tasse (50 ml) de farine
> 3 œufs
> 1/2 tasse (125 ml) de crème sure
> 1 cuillérée à thé (5 ml) de vanille
> 1 tasse (250 ml) de chocolat mi-sucré en morceaux miniatures

(suite)

Mélanger les miettes et la margarine, foncer un moule de 9 pouces (22 cm). Cuire à 350°F/180°C, 10 minutes.

Bien mélanger le fromage à la crème, le sucre et la farine à vitesse moyenne au fouet électrique. Ajouter les œufs un à la fois, bien battre après chaque ajout. Incorporer la vanille et la crème sure. Ajouter le chocolat; verser sur l'abaisse. Cuire à 350°F/180°C, 55 minutes. Passer un couteau autour du moule. Refroidir avant de démouler. Réfrigérer. Garnir de crème fouettée et de feuilles de menthe fraîche si désiré.

10 à 12 portions

Gâteau suprême au fromage et aux brisures de chocolat

Gâteau au fromage "Rocky Road"

   1 tasse (250 ml) de miettes de gaufrettes au chocolat
   3 cuillérées à table (50 ml) de Margarine PARKAY, fondue
   1 sachet de gélatine sans saveur
1/4 de tasse (50 ml) d'eau froide
   2 contenants de 8 onces (250 g) de Fromage à la Crème de MARQUE PHILADELPHIA Tartinable
3/4 de tasse (175 ml) de sucre
1/3 de tasse (75 ml) de cacao
1/2 cuillérée à thé (2 ml) de vanille
   2 tasses (500 ml) de Guimauves Miniatures KRAFT
   1 tasse (250 ml) de crème à fouetter, fouettée
1/2 tasse (125 ml) de noix hachées

Bien mélanger les miettes et la margarine. Foncer un moule de 9 pouces (22 cm) à bord amovible. Cuire à 350°F/180°C, 10 minutes. Refroidir.

Dissoudre la gélatine dans l'eau à feu doux, jusqu'à dissolution complète. Mélanger le fromage à la crème, le sucre, le cacao et la vanille au fouet électrique à vitesse moyenne. Ajouter peu à peu la gélatine et bien mélanger. Incorporer les ingrédients restants et verser sur l'abaisse. Réfrigérer jusqu'à consistance ferme.

10 à 12 portions

Gâteau au fromage Cappuccino

1 1/2 tasse (375 ml) de noix finement hachées
   2 cuillérées à table (25 ml) de sucre
   3 cuillérées à table (50 ml) de Margarine PARKAY, fondue
   4 paquets de 8 onces (250 g) de Fromage à la Crème de MARQUE PHILADELPHIA, ramolli
   1 tasse (250 ml) de sucre
   3 cuillérées à table (50 ml) de farine
   4 œufs
   1 tasse (250 ml) de crème sure
   1 cuillérée à table (15 ml) de café instantané granulé
1/4 de cuillérée à thé (1 ml) de cannelle
1/4 de tasse (50 ml) d'eau bouillante

(suite)

Mélanger les noix, le sucre et la margarine. Foncer un moule à bord amovible de 9 pouces (22 cm). Cuire à 325°F/160°C, 10 minutes.

Mélanger le fromage à la crème, le sucre et la farine, bien battre à vitesse moyenne au fouet électrique. Ajouter les œufs un à la fois, bien mélanger après chaque ajout. Incorporer la crème sure. Dissoudre le café et la cannelle dans l'eau. Refroidir. Peu à peu, ajouter au mélange de fromage à la crème, bien battre. Verser sur l'abaisse. Cuire à 450°F/230°C, 10 minutes; réduire la température du four à 250°F/120°C et prolonger la cuisson de 1 heure. Passer un couteau autour du moule, refroidir avant de démouler. Réfrigérer. Garnir de crème fouettée et de grains de café si désiré.

10 à 12 portions

Gâteau au fromage délicieux à la lime

1 1/4 tasse (300 ml) de chapelure de biscottes
2 cuillérées à table (25 ml) de sucre
1/3 de tasse (75 ml) de Margarine PARKAY, fondue
1 sachet de gélatine sans saveur
1/4 de tasse (50 ml) d'eau froide
1/4 de tasse (50 ml) de jus de lime
3 œufs, jaunes et blancs séparés
1/2 tasse (125 ml) de sucre
1 1/2 cuillérée à thé (7 ml) de zeste de lime
2 paquets de 8 onces (250 g) de Fromage à la Crème Léger de MARQUE PHILADELPHIA, ramolli
Colorant alimentaire vert (optionnel)
2 tasses (500 ml) de garniture fouettée congelée, décongelée

Mélanger la chapelure, le sucre et la margarine. Foncer un moule à bord amovible de 9 pouces (22 cm). Cuire à 325°F/160°C, 10 minutes. Laisser refroidir.

Dissoudre la gélatine dans l'eau à feu doux jusqu'à dissolution complète. Ajouter le jus, les jaunes d'œufs, 1/4 de tasse (50 ml) de sucre et le zeste; cuire a feu moyen en remuant constamment, 5 minutes. Refroidir. Peu à peu, ajouter le mélange à la gélatine au fromage léger. Bien mélanger au fouet électrique à vitesse moyenne. Ajouter quelques gouttes du colorant alimentaire. Battre les blancs d'œufs en neige jusqu'à consistance mousseuse. Ajouter peu à peu le sucre restant et continuer à battre jusqu'à formation de pics fermes. Incorporer les blancs de neige et la garniture fouettée dans le mélange de fromage. Verser sur l'abaisse. Réfrigérer jusqu'à consistance ferme. Garnir de zeste de lime si désiré.

10 à 12 portions

Gâteau au fromage à l'amaretto et aux pêches

GÂTEAU AU FROMAGE À L'AMARETTO ET AUX PÊCHES

> 3 cuillérées à table (50 ml) de Margarine PARKAY
> 1/3 de tasse (75 ml) de sucre
> 1 œuf
> 3/4 de tasse (175 ml) de farine

> * * *

> 3 paquets de 8 onces (250 g) de Fromage à la Crème de MARQUE PHILADELPHIA, ramolli
> 3/4 de tasse (175 ml) de sucre
> 3 cuillérées à table (50 ml) de farine
> 3 œufs
> 1 livre (500 g) de pêches en moitiés, égouttées, réduites en purée
> 1/4 de tasse (50 ml) de liqueur d'amande

(suite)

Mélanger la margarine et le sucre jusqu'à consistance lisse et mousseuse. Ajouter l'œuf et la farine, bien mélanger. Foncer de ce mélange un moule à bord amovible de 9 pouces (22 cm). Cuire à 450°F/230°C, 10 minutes.

Mélanger à vitesse moyenne au fouet électrique le fromage à la crème, le sucre et la farine. Ajouter les œufs, un à la fois. Bien mélanger après chaque ajout. Ajouter les pêches et la liqueur, remuer. Verser sur l'abaisse. Cuire à 450°F/230°C, 10 minutes. Réduire la température du four à 250°F/120°C; prolonger la cuisson de 65 minutes. Passer un couteau autour du moule. Refroidir avant de démouler. Réfrigérer. Garnir de pêches additionnelles et d'amandes tranchées, grillées, si désiré.

10 à 12 portions

GÂTEAU AU FROMAGE DES FÊTES AU LAIT DE POULE

   1 tasse (250 ml) de chapelure de biscuits graham
 1/4 de tasse (50 ml) de sucre
 1/4 de cuillérée à thé (1 ml) de noix de muscade, moulue
 1/4 de tasse (50 ml) de Margarine PARKAY, fondue

*   *   *

   1 sachet de gélatine sans saveur
 1/4 de tasse (50 ml) d'eau froide
   1 paquet de 8 onces (250 g) de Fromage à la
       Crème de MARQUE PHILADELPHIA, ramolli
 1/4 de tasse (50 ml) de sucre
   1 tasse (250 ml) de lait de poule
   1 tasse (250 ml) de crème à fouetter, fouettée

Mélanger la chapelure, le sucre, la noix de muscade et la margarine; foncer un moule à bord amovible de 9 pouces (22 cm).

Dissoudre la gélatine dans l'eau à feu doux jusqu'à dissolution complète. Bien mélanger le fromage à la crème et le sucre à vitesse moyenne au fouet électrique. Ajouter peu à peu la gélatine et le lait de poule, battre jusqu'à consistance homogène. Réfrigérer jusqu'à légèrement pris. Incorporer la crème fouettée. Verser sur l'abaisse. Réfrigérer jusqu'à consistance ferme.

10 à 12 portions

VARIANTE
■ Augmenter le sucre à 1/3 de tasse (75 ml). Employer du lait au lieu du lait de poule. Ajouter 1 cuillérée à thé (5 ml) de vanille et 3/4 de cuillérée à thé (3 ml) d'extrait de rhum. Continuer tel qu'indiqué.

GÂTEAUX AU FROMAGE MINIATURES

$1/3$ de tasse (75 ml) de chapelure de biscuits graham

1 cuillérée à table (15 ml) de sucre

1 cuillérée à table (15 ml) de margarine PARKAY, fondue

* * *

1 paquet de 8 onces (250 g) de Fromage à la Crème de MARQUE PHILADELPHIA, ramolli

$1/4$ de tasse (50 ml) de sucre

$1 1/2$ cuillérée à thé (7 ml) de jus de citron

$1/2$ cuillérée à thé (2 ml) de zeste de citron

$1/4$ de cuillérée à thé (1 ml) de vanille

1 œuf

Conserves d'Abricots ou de Fraises KRAFT

Mélanger la chapelure, le sucre et la margarine. Mettre 1 cuillérée à table (15 ml) bombée de ce mélange dans chacune des divisions individuelles d'un moule à muffin doublé de moules à muffins en papier. Cuire à 325°F/160°C, 5 minutes.

Mélanger le fromage à la crème, le sucre, le jus, le zeste et la vanille. Bien mélanger au fouet électrique à vitesse moyenne. Ajouter l'œuf; verser dans les moules, en les remplissant au $3/4$. Cuire à 325°F/160°C, 25 minutes. Refroidir avant de démouler. Réfrigérer. Garnir de conserves au moment de servir.

6 portions

VARIANTE
■ Remplacer les Conserves KRAFT par des fruits frais.

PRÉPARATION À L'AVANCE
Emballer les gâteaux au fromage individuellement dans une pellicule en plastique; congeler. Laisser à la température de la pièce 40 minutes avant de servir.

Gâteaux au fromage miniatures ▶

GÂTEAU AU FROMAGE À LA MENTHE

1 tasse (250 ml) de miettes de gaufrettes au chocolat

3 cuillérées à table (50 ml) de margarine PARKAY, fondue

*   *   *

1 sachet de gélatine sans saveur

1/4 de tasse (50 ml) d'eau froide

2 contenants de 8 onces (250 g) de Fromage à la Crème de MARQUE PHILADELPHIA Tartinable

1/2 tasse (125 ml) de sucre

1/2 tasse (125 ml) de lait

1/4 de tasse (50 ml) de bonbons à la menthe broyés

1 tasse (250 ml) de crème à fouetter, fouettée

2 barres de chocolat au lait de 1 1/2 once (45 g), finement hachées

Mélanger les miettes de gaufrettes et la margarine, foncer un moule à bord amovible de 9 pouces (22 cm). Cuire à 350°F/180°C, 10 minutes. Refroidir.

Dissoudre la gélatine dans l'eau à feu doux jusqu'à dissolution complète. Bien mélanger le fromage à la crème et le sucre au fouet électrique à vitesse moyenne. Peu à peu, ajouter la gélatine, le lait et les bonbons à la menthe; bien mélanger. Réfrigérer jusqu'à légèrement pris. Incorporer la crème fouettée et le chocolat; verser sur l'abaisse. Réfrigérer jusqu'à ferme. Garnir de crème à fouetter, fouettée, mélangé à des bonbons à la menthe broyés si désiré.

10 à 12 portions

Gâteau au fromage à la menthe ▶

GÂTEAU AU FROMAGE MERINGUÉ À LA MENTHE ET AU CHOCOLAT

1 tasse (250 ml) de miettes de gaufrettes au chocolat

3 cuillérées à table (50 ml) de Margarine PARKAY, fondue

2 cuillérées à table (25 ml) de sucre

*   *   *

3 paquets de 8 onces (250 g) de Fromage à la Crème de MARQUE PHILADELPHIA, ramolli

2/3 de tasse (150 ml) de sucre

3 œufs

1 tasse (250 ml) de carrés de chocolat à la menthe, fondus

1 cuillérées à thé (5 ml) de vanille

*   *   *

3 blancs d'œufs

7 onces (200 g) de Crème de Guimauve KRAFT

Bien mélanger les miettes, la margarine et le sucre; foncer un moule à bord amovible de 9 pouces (22 cm). Cuire à 350°F/180°C, 10 minutes.

Bien mélanger le fromage à la crème et le sucre à vitesse moyenne au fouet électrique. Ajouter les œufs un à la fois, bien mélanger après chaque ajout. Incorporer le chocolat à la menthe et la vanille; verser sur l'abaisse. Cuire à 350°F/180°C, 50 minutes. Passer un couteau autour du moule. Refroidir avant de démouler. Réfrigérer.

Battre les blancs d'œufs en neige jusqu'à formation de pics mous. Ajouter la crème de guimauve et battre jusqu'à formation de pics durs. Délicatement, étaler sur le dessus du gâteau au fromage, bien étaler uniformément. Cuire à 450°F/230°C, 3 à 4 minutes ou jusqu'à légèrement doré.

10 à 12 portions

VARIANTE

■ Remplacer le fromage à la crème par du Fromage à la Crème Léger de MARQUE PHILADELPHIA.

GÂTEAU AU FROMAGE "PHILLY"

$2/3$ de tasse (150 ml) de chapelure de biscuits graham
2 cuillérées à table (25 ml) de Margarine PARKAY, fondue

* * *

2 paquets de 8 onces (250 g) de Fromage à la
    Crème de MARQUE PHILADELPHIA, ramolli
$1/2$ tasse (125 ml) de sucre
1 cuillérée à table (15 ml) de jus de citron
1 cuillérée à thé (5 ml) de zeste de citron
$1/2$ cuillérée à thé (2 ml) de vanille
2 œufs, blancs et jaunes séparés

Mélanger la chapelure et la margarine; foncer un moule à bord amovible de 7 pouces (17 cm). Cuire à 325°F/160°C, 10 minutes.

Bien mélanger le fromage à la crème, le sucre, le jus, le zeste et la vanille au fouet électrique à vitesse moyenne. Ajouter les jaunes d'œufs un à un, bien mélanger après chaque ajout. Battre les blancs d'œufs en neige jusqu'à la formation de pics durs. Incorporer dans le mélange de fromage à la crème. Verser sur l'abaisse. Cuire à 300°F/150°C, 55 minutes. Passer un couteau autour du moule; refroidir avant de démouler. Réfrigérer. Garnir de garniture de tarte à la cerise ou de fruits frais si désiré.

8 portions

VARIANTE
■ Pour un gâteau au fromage de 9 pouces (22 cm):

1 tasse (250 ml) de chapelure de biscuits graham
3 cuillérées à table (50 ml) de Margarine PARKAY, fondue

* * *

3 paquets de 8 onces (250 g) de Fromage à la
    Crème de MARQUE PHILADELPHIA, ramolli
$3/4$ de tasse (175 ml) de sucre
2 cuillérées à table (25 ml) de jus de citron
$1 1/2$ cuillérées à thé (7 ml) de zeste de citron
1 cuillérée à thé (5 ml) de vanille
3 œufs, blancs et jaunes séparés

Mélanger la chapelure et la margarine; foncer un moule à bord amovible de 9 pouces (22 cm). Cuire tel qu'indiqué.

Préparer la garniture tel qu'indiqué. Verser sur l'abaisse. Cuire à 300°F/150°C, 45 minutes. Continuer tel qu'indiqué.

10 à 12 portions

GÂTEAU AU FROMAGE AUX CERISES

1 tasse (250 ml) de chapelure de biscuits graham
3 cuillérées à table (50 ml) de sucre
3 cuillérées à table (50 ml) de Margarine PARKAY, fondue

* * *

3 paquets de 8 onces (250 g) de Fromage à la Crème de MARQUE PHILADELPHIA, ramolli
3/4 de tasse (175 ml) de sucre
3 œufs
1 cuillérée à thé (5 ml) de vanille
21 onces (650 g) de garniture de tarte à la cerise

Mélanger la chapelure, le sucre et la margarine; foncer un moule à bord amovible de 9 pouces (22 cm). Cuire à 325°F/160°C, 10 minutes.

Bien mélanger le fromage à la crème et le sucre au fouet électrique à vitesse moyenne. Ajouter les œufs un à la fois. Bien mélanger après chaque ajout. Ajouter la vanille, verser sur l'abaisse. Cuire à 450°F/230°C, 10 minutes. Réduire la température du four à 250°F/120°C; prolonger la cuisson de 25 à 30 minutes ou jusqu'à cuit. Passer un couteau autour du moule; refroidir avant de démouler. Réfrigérer. Garnir de garniture de tarte au moment de servir.

10 à 12 portions

GÂTEAU AU FROMAGE MARBRÉ À LA CITROUILLE

1 1/2 tasse (375 ml) de miettes de gâteaux secs au gingembre
1/2 tasse (125 ml) de pacanes finement hachées
1/3 de tasse (75 ml) de Margarine PARKAY, fondue
2 paquets de 8 onces (250 g) de Fromage à la Crème de MARQUE PHILADELPHIA, ramolli
3/4 de tasse (175 ml) de sucre
1 cuillérée à thé (5 ml) de vanille
3 œufs
1 tasse (250 ml) de citrouille en conserve
3/4 de cuillérée à thé (3 ml) de cannelle
1/4 de cuillérée à thé (1 ml) de noix de muscade moulue

(suite)

Mélanger les miettes, les pacanes et la margarine. Foncer un moule à bord amovible de 9 pouces (22 cm) en formant un bord de 1¹/2 pouce (4 cm). Cuire à 350°F/180°C, 10 minutes.

Mélanger le fromage à la crème, ¹/2 tasse (125 ml) de sucre et la vanille. Battre à vitesse moyenne au fouet électrique. Ajouter les œufs un à la fois. Bien battre après chaque ajout. Réserver 1 tasse (250 ml) de ce mélange. Ajouter le sucre restant, la citrouille et les épices au mélange restant. Bien mélanger. Mettre sur l'abaisse en alternance une couche du mélange à la citrouille et une couche de mélange de fromage à la crème. Passer un couteau plusieurs fois à travers le mélange pour obtenir un effet marbré. Cuire à 350°F/180°C, 55 minutes. Passer un couteau autour du moule. Refroidir avant de démouler. Réfrigérer.

10 à 12 portions

Gâteau au fromage marbré à la citrouille

DÉLICE DE GÂTEAU AU FROMAGE FORÊT NOIRE

1 tasse (250 ml) de miettes de gaufrettes au chocolat

3 cuillérées à table (50 ml) de Margarine PARKAY, fondue

* * *

2 paquets de 8 onces (250 g) de Fromage à la Crème de MARQUE PHILADELPHIA, ramolli

2/3 de tasse (150 ml) de sucre

2 œufs

1 paquet de 6 onces (180 g) de chocolat mi-sucré en morceaux, fondu

1/4 de cuillérée à thé (1 ml) d'extrait d'amande

* * *

21 onces (650 g) de garniture de tarte à la cerise
Garniture fouettée congelée, décongelée

Mélanger les miettes et la margarine; foncer un moule à bord amovible de 9 pouces (22 cm). Cuire à 350°F/180°C, 10 minutes.

Mélanger le fromage à la crème et le sucre au fouet électrique à vitesse moyenne. Ajouter les œufs un à la fois. Bien mélanger après chaque ajout. Incorporer le chocolat et l'extrait, verser sur l'abaisse. Cuire à 350°F/180°C, 45 minutes. Passer un couteau autour du moule; refroidir avant de démouler. Réfrigérer.

Garnir le gâteau au fromage de garniture de tarte et de garniture fouettée au moment de servir.

10 à 12 portions

◀*Délice de gâteau au fromage forêt noire*

GÂTEAU AU FROMAGE RENVERSÉ À L'ORANGE

> 1 sachet de gélatine sans saveur
> 1 1/2 tasse (375 ml) de jus d'orange non-sucré
> 1/4 de tasse (50 ml) de sucre
> 2 tasses (500 ml) de quartiers d'orange
>
> * * *
>
> 1 sachet de gélatine sans saveur
> 1/2 tasse (125 ml) de jus d'orange non-sucré
> 3 paquets de 8 onces (250 g) de Fromage à la Crème de MARQUE PHILADELPHIA, ramolli
> 1 tasse (250 ml) de sucre
> 2 cuillérées à thé (10 ml) de zeste d'orange
> 1 tasse (250 ml) de crème à fouetter, fouettée
>
> * * *
>
> 1 tasse (250 ml) de miettes de gaufrettes à la vanille
> 1/2 cuillérée à thé (2 ml) de cannelle
> 3 cuillérées à table (50 ml) de Margarine PARKAY, fondue

Dissoudre la gélatine dans le jus. Ajouter le sucre; remuer à feu doux jusqu'à dissolution complète. Réfrigérer jusqu'à légèrement pris. Disposer les quartiers d'orange au fond d'un moule à bord amovible de 9 pouces (22 cm). Verser le mélange de gélatine sur les oranges. Réfrigérer jusqu'à légèrement pris mais non ferme.

Dissoudre le gélatine dans le jus à feu doux jusqu'à dissolution complète. Mélanger le fromage à la crème, le sucre et le zeste. Battre à vitesse moyenne au fouet électrique jusqu'à bien mélangé. Ajouter peu à peu le mélange de gélatine. Bien battre. Réfrigérer jusqu'à léger épaississement. Incorporer la crème fouettée. Verser sur les oranges. Réfrigérer.

Mélanger les miettes, la cannelle et la margarine. Tasser délicatement sur le gâteau. Réfrigérer. Passer un couteau autour du moule. Renverser sur une assiette de service. Démouler.

10 à 12 portions

VARIANTE
■ Supprimer la cannelle. Remplacer les miettes de gaufrettes à la vanille par de la chapelure de biscuits graham ou des miettes de gaufrettes au chocolat.

Gâteau au fromage tout chocolat

GÂTEAU AU FROMAGE TOUT CHOCOLAT

2 tasses (500 ml) de miettes de gaufrettes à la vanille

6 cuillérées à table (100 ml) de Margarine PARKAY, fondue

2 paquets de 7 onces (210 g) de Caramels KRAFT

5 onces (150 ml) de lait condensé (non-sucré)

1 tasse (250 ml) de pacanes hachées, grillées

2 paquets de 8 onces (250 g) de Fromage à la Crème de MARQUE PHILADELPHIA, ramolli

1/2 tasse (125 ml) de sucre

1 cuillérée à thé (5 ml) de vanille

2 œufs

1/2 tasse (125 ml) de chocolat mi-sucré en morceaux, fondu

Mélanger les miettes et la margarine; foncer un moule à bord amovible de 9 pouces (22 cm). Cuire à 350°F/180°C, 10 minutes. Dans une casserole à fond épais de 1 1/2 pinte (1,5 L) faire fondre les caramels avec le lait à feu doux en remuant fréquemment jusqu'à consistance crémeuse. Verser sur l'abaisse. Garnir de pacanes. Bien mélanger le fromage, le sucre et la vanille à vitesse moyenne au fouet électrique. Ajouter les œufs un à la fois, bien mélanger après chaque ajout. Incorporer le chocolat, verser sur les pacanes. Cuire à 350°F/180°C, 40 minutes. Passer un couteau autour du moule, refroidir avant de démouler. Réfrigérer. Garnir de crème fouettée, de noix hachées et de cerises au marasquin, si désiré.

10 à 12 portions

GÂTEAU AU FROMAGE TOURBILLON MARBRÉ

1 paquet de 8 onces (250 g) de mélange à gâteau au chocolat et aux noix (brownies)
2 paquets de 8 onces (250 g) de Fromage à la Crème de MARQUE PHILADELPHIA, ramolli
1/2 tasse (125 ml) de sucre
1 cuillérée à thé (5 ml) de vanille
2 œufs
1 tasse (250 ml) de chocolat au lait en morceaux, fondu

Graisser le fond d'un moule à bord amovible de 9 pouces (22 cm). Préparer le mélange de brownies tel qu'indiqué dans le mode d'emploi. Verser le mélange dans le moule. Cuire à 350°F/180°C, 15 minutes.

Bien mélanger le fromage à la crème, le sucre et la vanille au fouet électrique à vitesse moyenne. Ajouter les œufs un à la fois. Bien battre après chaque ajout. Verser sur l'abaisse. Verser le chocolat sur le mélange de fromage à la crème. Couper plusieurs fois à travers le gâteau pour obtenir un effet marbré. Cuire à 350°F/180°C, 35 minutes. Passer un couteau autour du moule. Refroidir avant de démouler. Réfrigérer. Garnir de crème fouettée si désiré.

10 à 12 portions

GÂTEAU AU FROMAGE NOIX DE COCO ET CHOCOLAT

1 tasse (250 ml) de chapelure de biscuits graham
3 cuillérées à table (50 ml) de sucre
3 cuillérées à table (50 ml) de Margarine PARKAY fondue
2 carrés de 1 once (30 g) de chocolat non-sucré
2 cuillérées à table (25 ml) de Margarine PARKAY
2 paquets de 8 onces (250 g) de Fromage à la Crème de MARQUE PHILADELPHIA, ramolli
1 1/4 tasse (300 ml) de sucre
1/4 de cuillérée à thé (1 ml) de sel
5 œufs
1 1/3 tasse (325 ml) de flocons de noix de coco
1 tasse (250 ml) de crème sure
2 cuillérées à table (25 ml) de sucre
2 cuillérées à table (25 ml) de brandy

(suite)

Mélanger la chapelure, le sucre et la margarine. Foncer un moule à bord amovible de 9 pouces (22 cm). Cuire à 350°F/180°C, 10 minutes.

Faire fondre le chocolat et la margarine à feu doux en remuant jusqu'à obtention d'un mélange crémeux. Refroidir. Bien mélanger le fromage à la crème, le sucre et le sel au fouet électrique à vitesse moyenne. Ajouter les œufs un à la fois; bien battre après chaque ajout. Incorporer le chocolat et la noix de coco. Verser sur l'abaisse. Cuire à 350°F/180°C, 55 à 60 minutes ou jusqu'à pris.

Mélanger la crème sure, le sucre et le brandy. Verser sur le gâteau au fromage. Cuire à 300°F/150°C, 5 minutes. Passer un couteau autour du moule, laisser refroidir avant de démouler. Réfrigérer.

10 à 12 portions.

GÂTEAU AU FROMAGE SUPRÊME ORANGE, CHOCOLAT

- **1 tasse (250 ml) de miettes de gaufrettes au chocolat**
- **1/4 de cuillérée à thé (1 ml) de cannelle**
- **3 cuillérées à table (50 ml) de Margarine PARKAY, fondue**
- **4 paquets de 8 onces (250 g) de Fromage à la Crème de MARQUE PHILADELPHIA, ramolli**
- **3/4 de tasse (175 ml) de sucre**
- **4 œufs**
- **1/2 tasse (125 ml) de crème sure**
- **1 cuillérée à thé (5 ml) de vanille**
- **1/2 tasse (125 ml) de chocolat mi-sucré en morceaux, fondu**
- **2 cuillérées à table (25 ml) de liqueur à saveur d'orange**
- **1/2 cuillérée à thé (2 ml) de zeste d'orange**

Mélanger les miettes de gaufrettes, la cannelle et la margarine. Foncer un moule à bord amovible de 9 pouces (22 cm). Cuire à 325°F/160°C, 10 minutes.

Bien mélanger le fromage et le sucre au fouet électrique à vitesse moyenne. Ajouter les œufs un à la fois. Bien battre après chaque ajout. Incorporer la crème sure et la vanille. Ajouter le chocolat à 3 tasses de ce mélange. Ajouter la liqueur à saveur et le zeste au mélange restant. Verser le mélange de chocolat sur l'abaisse. Cuire à 350°F/180°C 30 minutes. Réduire la température du four à 325°F/160°C. Mettre à la cuillère le mélange restant sur le mélange de chocolat; prolonger la cuisson de 30 minutes. Passer un couteau autour du moule; refroidir avant de démouler. Réfrigérer.

10 à 12 portions

INDEX